中國美術全集

殿堂壁畫二

全國百佳圖书出版單位
ARTTIME 時代出版
時代出版傳媒股份有限公司
黄山書社

目　録

明（公元一三六八年至公元一六四四年）

頁碼	名稱	時代	出土發現地	收藏地
279	往古貞烈女衆	明	山西繁峙縣公主寺大佛殿	
280	饑荒殍餓飲噉净衆	明	山西繁峙縣公主寺大佛殿	
281	大佛殿西壁壁畫	明	山西繁峙縣公主寺大佛殿	
282	天將	明	山西繁峙縣公主寺大佛殿	
283	天妃聖母	明	山西繁峙縣公主寺大佛殿	
284	五道神衆	明	山西繁峙縣公主寺大佛殿	
285	十二屬相神衆	明	山西繁峙縣公主寺大佛殿	
285	北斗星君衆	明	山西繁峙縣公主寺大佛殿	
286	三聖像	明	山西新絳縣稷益廟正殿	
287	侍女	明	山西新絳縣稷益廟正殿	
288	侍女	明	山西新絳縣稷益廟正殿	
288	侍女	明	山西新絳縣稷益廟正殿	
289	武士	明	山西新絳縣稷益廟正殿	
290	帝王朝聖	明	山西新絳縣稷益廟正殿	
291	宮娥儀衛	明	山西新絳縣稷益廟正殿	
292	林間人物	明	山西新絳縣稷益廟正殿	
293	武士	明	山西新絳縣稷益廟正殿	
294	畜護嬰兒	明	山西新絳縣稷益廟正殿	
295	捕蝗	明	山西新絳縣稷益廟正殿	
296	武士與獵户	明	山西新絳縣稷益廟正殿	
297	侍女	明	山西新絳縣稷益廟正殿	
298	大禹 后稷 伯益	明	山西新絳縣稷益廟正殿	
300	朝聖百官	明	山西新絳縣稷益廟正殿	
302	耕獲圖	明	山西新絳縣稷益廟正殿	
302	祭祀	明	山西新絳縣稷益廟正殿	
304	侍女	明	山西新絳縣稷益廟正殿	
305	朝謁	明	山西新絳縣稷益廟正殿	
305	金剛	明	山西太谷縣圓智寺千佛殿	
306	諸仙赴會	明	山西洪洞縣廣勝上寺西垜殿	
308	溪仙	明	山西太原市晋祠聖母殿	
309	十八羅漢	明	山西太谷縣圓智寺大覺殿	
309	明王	明	山西太谷縣圓智寺大覺殿	
310	毗盧殿東壁北側壁畫	明	河北石家莊市毗盧寺毗盧殿	
311	毗盧殿東壁南側壁畫	明	河北石家莊市毗盧寺毗盧殿	

頁碼	名稱	時代	出土發現地	收藏地
312	南極長生大帝	明	河北石家莊市毗盧寺毗盧殿	
313	天妃聖母	明	河北石家莊市毗盧寺毗盧殿	
314	北岳西岳等衆	明	河北石家莊市毗盧寺毗盧殿	
314	四海龍王	明	河北石家莊市毗盧寺毗盧殿	
315	玄天上帝	明	河北石家莊市毗盧寺毗盧殿	
316	地府三曹 獄主鬼王	明	河北石家莊市毗盧寺毗盧殿	
317	護齋護戒龍神	明	河北石家莊市毗盧寺毗盧殿	
318	鬼子母	明	河北石家莊市毗盧寺毗盧殿	
319	清源妙道真君	明	河北石家莊市毗盧寺毗盧殿	
320	毗盧殿西壁南側壁畫	明	河北石家莊市毗盧寺毗盧殿	
321	四瀆龍神	明	河北石家莊市毗盧寺毗盧殿	
322	崇寧護國真君	明	河北石家莊市毗盧寺毗盧殿	
323	曠野大將等衆	明	河北石家莊市毗盧寺毗盧殿	
324	五湖龍神	明	河北石家莊市毗盧寺毗盧殿	
324	毗盧殿東南壁壁畫	明	河北石家莊市毗盧寺毗盧殿	
326	引路王菩薩	明	河北石家莊市毗盧寺毗盧殿	
327	往古帝王文武官僚衆	明	河北石家莊市毗盧寺毗盧殿	
328	往古忠臣良將	明	河北石家莊市毗盧寺毗盧殿	
329	往古孝子順孫	明	河北石家莊市毗盧寺毗盧殿	
330	街市	明	河北石家莊市毗盧寺毗盧殿	
331	毗盧殿東北壁東側壁畫	明	河北石家莊市毗盧寺毗盧殿	
332	玉皇大帝	明	河北石家莊市毗盧寺毗盧殿	
333	金剛	明	河北石家莊市毗盧寺毗盧殿	
334	毗盧殿西北壁壁畫	明	河北石家莊市毗盧寺毗盧殿	
336	摩利支天	明	河北石家莊市毗盧寺毗盧殿	
337	廣目增長天王	明	河北石家莊市毗盧寺毗盧殿	
338	降三世明王金剛首菩薩	明	河北石家莊市毗盧寺毗盧殿	
339	毗盧殿西南壁壁畫	明	河北石家莊市毗盧寺毗盧殿	
340	城隍五道土地衆	明	河北石家莊市毗盧寺毗盧殿	
341	面然鬼王	明	河北石家莊市毗盧寺毗盧殿	
342	聖母出宫	明	山西汾陽市聖母廟聖母殿	
343	侍女送行	明	山西汾陽市聖母廟聖母殿	
344	侍女	明	山西汾陽市聖母廟聖母殿	
345	奏樂侍女	明	山西汾陽市聖母廟聖母殿	

頁碼	名稱	時代	出土發現地	收藏地
346	宮廷宴樂	明	山西汾陽市聖母廟聖母殿	
348	樂伎	明	山西汾陽市聖母廟聖母殿	
349	樂伎	明	山西汾陽市聖母廟聖母殿	
350	執傘抬食	明	山西汾陽市聖母廟聖母殿	
351	侍女	明	山西汾陽市聖母廟聖母殿	
352	齋供	明	山西汾陽市聖母廟聖母殿	
353	侍者行進	明	山西汾陽市聖母廟聖母殿	
354	聖母巡幸	明	山西汾陽市聖母廟聖母殿	
356	聖母	明	山西汾陽市聖母廟聖母殿	
357	侍從	明	山西汾陽市聖母廟聖母殿	
358	神將	明	山西汾陽市聖母廟聖母殿	
359	水母巡幸	明	山西太原市晋祠水母樓	
359	水母回歸	明	山西太原市晋祠水母樓	
360	月光菩薩	明	山西陽高縣雲林寺大雄寶殿	
360	文勛官僚衆	明	山西陽高縣雲林寺大雄寶殿	
361	往古賢婦烈女衆	明	山西陽高縣雲林寺大雄寶殿	
362	園林嬉戲	明	山西平遥縣鎮國寺三佛樓	
362	風雷雨電神	明	山西清徐縣狐突廟正殿	
363	十六羅漢之賓度羅跋羅惰闍尊者	明	天津薊縣獨樂寺觀音閣	
364	十六羅漢之迦哩迦尊者	明	天津薊縣獨樂寺觀音閣	
365	十六羅漢之因竭陀尊者	明	天津薊縣獨樂寺觀音閣	
366	十六羅漢之阿什多尊者	明	天津薊縣獨樂寺觀音閣	
367	十六羅漢之伐闍弗多羅尊者	明	天津薊縣獨樂寺觀音閣	
367	十六羅漢之注荼半托迦尊者	明	天津薊縣獨樂寺觀音閣	
368	釋迦如來會	明	雲南玉龍納西族自治縣大寶積宫	
370	神衆	明	雲南玉龍納西族自治縣大寶積宫	
371	諸天	明	雲南玉龍納西族自治縣大寶積宫	
372	天王	明	雲南玉龍納西族自治縣大寶積宫	
373	瑪哈嘎拉	明	雲南玉龍納西族自治縣大寶積宫	
374	多聞天財神	明	雲南玉龍納西族自治縣大寶積宫	
375	天女	明	雲南玉龍納西族自治縣大寶積宫	
376	護法神衆	明	雲南玉龍納西族自治縣大寶積宫	
377	四臂觀音	明	雲南玉龍納西族自治縣大寶積宫	
378	觀音大士圖	明	雲南玉龍納西族自治縣大定閣正殿	

頁碼	名稱	時代	出土發現地	收藏地
379	飛天	明	雲南玉龍納西族自治縣大定閣正殿	
379	飛天	明	雲南玉龍納西族自治縣大定閣正殿	
380	大覺宮西壁壁畫	明	雲南玉龍納西族自治縣大覺宮	
382	菩薩　天王	明	雲南玉龍納西族自治縣大覺宮	
383	八臂觀音	明	雲南玉龍納西族自治縣大覺宮	
383	東皇大帝	明	雲南玉龍納西族自治縣大覺宮	
384	帝釋天海會圖	明	雲南麗江市木土司老宅	雲南省博物館
385	大梵天海會圖	明	雲南麗江市木土司老宅	雲南省博物館
386	法神	公元14–15世紀	西藏札達縣古格故城紅殿	
387	初轉法輪	公元14–15世紀	西藏札達縣古格故城紅殿	
388	外道和比丘	公元14–15世紀	西藏札達縣古格故城紅殿	
389	脅侍菩薩	公元14–15世紀	西藏札達縣古格故城紅殿	
390	禮佛圖	公元14–15世紀	西藏札達縣古格故城紅殿	
392	白度母	公元14–15世紀	西藏札達縣古格故城紅殿	
393	白象	公元14–15世紀	西藏札達縣古格故城紅殿	
393	雙獅	公元14–15世紀	西藏札達縣古格故城紅殿	
394	裝飾圖案	公元14–15世紀	西藏札達縣古格故城紅殿	
394	獅子	公元14–15世紀	西藏札達縣古格故城紅殿	
395	天女	公元14–15世紀	西藏札達縣古格故城紅殿	
396	倒立天人	公元14–15世紀	西藏札達縣古格故城紅殿	
397	裝飾圖案	公元14–15世紀	西藏札達縣古格故城紅殿	
398	衆女神小像	公元14–15世紀	西藏札達縣古格故城白殿	
399	古格王統世系	公元14–15世紀	西藏札達縣古格故城白殿	
400	佛母及化身	公元14–15世紀	西藏札達縣古格故城白殿	
401	佛母及化身	公元14–15世紀	西藏札達縣古格故城白殿	
401	諸神圖	公元14–15世紀	西藏札達縣古格故城白殿	
402	外道人物	公元14–15世紀	西藏札達縣古格故城白殿	
403	閻王和地母	公元14–15世紀	西藏札達縣古格故城白殿	
404	鸞鳳	公元14–15世紀	西藏札達縣托林寺杜康大殿	
404	飛天　金翅鳥	公元14–15世紀	西藏札達縣托林寺杜康大殿	
405	飛天	公元14–15世紀	西藏札達縣托林寺杜康大殿	
405	金剛舞女	公元14–15世紀	西藏札達縣托林寺杜康大殿	
406	金剛舞女	公元14–15世紀	西藏札達縣托林寺杜康大殿	
407	金剛舞女	公元14–15世紀	西藏札達縣托林寺杜康大殿	

頁碼	名稱	時代	出土發現地	收藏地
407	金剛舞女	公元14–15世紀	西藏札達縣托林寺杜康大殿	
408	金剛舞女	公元14–15世紀	西藏札達縣托林寺杜康大殿	
408	供水天女	公元14–15世紀	西藏札達縣托林寺杜康大殿	
409	供花天女	公元14–15世紀	西藏札達縣托林寺杜康大殿	
409	獻舞天女	公元14–15世紀	西藏札達縣托林寺杜康大殿	
410	奏琴天女	公元14–15世紀	西藏札達縣托林寺杜康大殿	
411	誕生	公元14–15世紀	西藏札達縣托林寺杜康大殿	
412	彩繪圖案	公元14–15世紀	西藏札達縣托林寺拉康嘎波	
413	度母	公元14–15世紀	西藏札達縣托林寺拉康嘎波	
414	承柱力士	公元14–15世紀	西藏札達縣托林寺拉康嘎波	
414	忍冬 力士 獅子圖案	公元14–15世紀	西藏札達縣托林寺拉康嘎波	
415	高僧	公元14–15世紀	西藏札達縣托林寺拉康嘎波	
416	天女與承柱力士	公元14–15世紀	西藏札達縣托林寺拉康嘎波	
417	金剛多羅母	公元14–15世紀	西藏札達縣托林寺拉康嘎波	
418	人間和地獄	公元14–15世紀	西藏札達縣托林寺拉康嘎波	
419	静修	公元14–15世紀	西藏札達縣托林寺拉康嘎波	
420	供養天女	公元14–15世紀	西藏札達縣托林寺拉康嘎波	
420	毗沙門天王	公元14–15世紀	西藏札達縣托林寺拉康嘎波	
421	曼荼羅	公元14–15世紀	西藏札達縣托林寺貢康殿	
422	天女	公元14–15世紀	西藏札達縣托林寺貢康殿	
422	度母	公元14–15世紀	西藏札達縣托林寺内四塔西北塔	
423	度母	公元14–15世紀	西藏札達縣托林寺内四塔西北塔	
423	曼荼羅	公元14–15世紀	西藏昂仁縣日吾其金塔	
424	供養天女	公元15世紀	西藏札達縣古格故城壇城殿	
424	衆合地獄	公元15世紀	西藏札達縣古格故城壇城殿	
425	飛天	公元15世紀	西藏札達縣古格故城壇城殿	
426	供養寶物	公元15世紀	西藏札達縣古格故城依佑洞	
426	供養天女	公元15世紀	西藏札達縣古格故城依佑洞	
427	密集不動金剛	公元15世紀	西藏札達縣古格故城大威德殿	
428	大威德金剛	公元15世紀	西藏札達縣古格故城大威德殿	
429	西方净土變	公元15世紀	西藏江孜縣白居寺吉祥多門塔	
430	供養天女	公元15世紀	西藏江孜縣白居寺吉祥多門塔	
431	山中風景	公元15世紀	西藏江孜縣白居寺吉祥多門塔	
431	黄色多聞天王	公元15世紀	西藏江孜縣白居寺吉祥多門塔	

頁碼	名稱	時代	出土發現地	收藏地
432	作明佛母眷屬	公元15世紀	西藏江孜縣白居寺吉祥多門塔	
432	獅子	公元15世紀	西藏江孜縣白居寺吉祥多門塔	
433	十一面觀音	公元15世紀	西藏江孜縣白居寺吉祥多門塔	
434	觀世音菩薩	公元15世紀	西藏江孜縣白居寺吉祥多門塔	
435	降三世明王及其脅侍	公元15世紀	西藏江孜縣白居寺吉祥多門塔	
436	焰火金剛	公元15世紀	西藏江孜縣白居寺吉祥多門塔	
437	菩薩	公元15世紀	西藏札達縣瑪那寺强巴殿	
438	牛頭護法神	公元16世紀	西藏隆子縣色切寺經堂	
439	多聞天王	公元16世紀	西藏隆子縣色切寺經堂	
440	白度母	公元16世紀	西藏隆子縣色切寺經堂	
440	金剛母多吉申巴	公元16世紀	西藏札達縣桑丹達吉林寺	
441	修行聖者小像	公元16世紀	西藏札達縣桑丹達吉林寺	
441	衆佛小像	公元16世紀	西藏普蘭縣貢不日寺杜康大殿	
442	菩薩	公元16世紀	西藏隆子縣白袞寺大殿	
442	弟子	公元16世紀	西藏隆子縣白袞寺大殿	
443	護法神	公元16世紀	西藏隆子縣强欽白嘎爾寺護法神殿	
443	度母	公元16世紀	西藏隆子縣强欽白嘎爾寺護法神殿	

清（公元一六四四年至公元一九一一年）

頁碼	名稱	時代	出土發現地	收藏地
444	脅侍菩薩	清	甘肅張掖市大佛寺大佛殿	
444	觀世音菩薩	清	山西大同市善化寺大雄寶殿	
445	開天立極	清	山西霍州市聖母廟聖母殿	
446	官貴迎駕	清	山西霍州市聖母廟聖母殿	
447	帝君朝賀	清	山西霍州市聖母廟聖母殿	
448	侍女	清	山西霍州市聖母廟聖母殿	
449	膳食侍女	清	山西霍州市聖母廟聖母殿	
450	膳房侍女	清	山西霍州市聖母廟聖母殿	
451	誅文醜	清	山西太原市晋祠關帝殿	
452	傳法正宗殿東壁壁畫	清	山西渾源縣永安寺傳法正宗殿	
454	月孛星君	清	山西渾源縣永安寺傳法正宗殿	

頁碼	名稱	時代	出土發現地	收藏地
455	訶利帝母衆	清	山西渾源縣永安寺傳法正宗殿	
456	天龍八部衆	清	山西渾源縣永安寺傳法正宗殿	
457	奎婁胃畢觜參星君	清	山西渾源縣永安寺傳法正宗殿	
458	諸天神地祇	清	山西渾源縣永安寺傳法正宗殿	
459	四直功曹	清	山西渾源縣永安寺傳法正宗殿	
460	判官審案	清	山西河曲縣岱岳廟地藏殿	
461	岳飛事迹	清	山西河曲縣岱岳廟岳武殿	
462	聖母巡幸	清	山西河曲縣岱岳廟聖母殿	
462	法嗣圖	清	山西大同市華嚴寺大雄寶殿	
463	善財童子五十三參	清	山西大同市華嚴寺大雄寶殿	
464	千手千眼觀音菩薩	清	山西大同市華嚴寺大雄寶殿	
465	馬王	清	山西繁峙縣岩山寺馬王殿	
465	十八學士	清	山東泰安市岱廟天貺殿	
466	東岳大帝啓蹕圖	清	山東泰安市岱廟天貺殿	
468	東岳大帝回鑾圖	清	山東泰安市岱廟天貺殿	
470	祝壽	清	陝西韓城市文廟大成殿	
470	西游記故事	清	陝西韓城市普照寺大殿	
471	江天亭立圖	太平天國	江蘇南京市太平天國壁畫藝術館	
472	雲帶環山圖	太平天國	江蘇南京市太平天國壁畫藝術館	
473	孔雀牡丹圖	太平天國	江蘇南京市太平天國壁畫藝術館	
474	防江望樓圖	太平天國	江蘇南京市太平天國壁畫藝術館	
475	山中樵夫	太平天國	浙江金華市太平天國侍王府	
476	捕魚圖	太平天國	浙江金華市太平天國侍王府	
477	三娘子禮佛	清	内蒙古土默特右旗美岱召大雄寶殿	
477	文殊菩薩	清	内蒙古土默特右旗美岱召三佛殿	
478	宗喀巴像	清	西藏日喀則市扎什倫布寺正殿	
478	喜金剛	清	西藏薩迦縣薩迦南寺	
479	魔方	清	西藏拉薩市色拉寺吉扎倉	
479	持國天王	清	西藏拉薩市布達拉宫白宫	
480	龍女	清	西藏拉薩市布達拉宫白宫	
480	金城公主入藏	清	西藏拉薩市布達拉宫白宫	
481	大昭寺落成圖	清	西藏拉薩市布達拉宫白宫	
482	吐蕃所建布達拉宫	清	西藏拉薩市布達拉宫白宫	
483	香巴拉勝境曼荼羅	清	西藏拉薩市布達拉宫白宫	

頁碼	名稱	時代	出土發現地	收藏地
484	一世達賴喇嘛	清	西藏拉薩市布達拉宮白宮	
484	尼瑪偉色	清	西藏拉薩市布達拉宮紅宮	
485	五世達賴覲見順治帝	清	西藏拉薩市布達拉宮紅宮	
486	紅宮落成慶典	清	西藏拉薩市布達拉宮紅宮	
487	紅宮落成慶典	清	西藏拉薩市布達拉宮紅宮	
488	度母	清	雲南香格里拉縣中心鎮藏經樓	
488	增福慧度母	清	雲南香格里拉縣中心鎮藏經樓	
489	宗喀巴說法圖	清	雲南香格里拉縣中心鎮藏經樓	
490	虎面佛母	清	雲南香格里拉縣中心鎮藏經樓	
491	宗喀巴說法圖	清	雲南德欽縣飛來寺	
491	文殊菩薩	清	雲南德欽縣飛來寺	
492	十一面千手觀音	清	雲南德欽縣飛來寺	
493	騎羊護法	清	雲南德欽縣飛來寺	
494	六臂大黑天	清	雲南德欽縣飛來寺	
496	增長天王	清	雲南德欽縣飛來寺	
496	持國天王	清	雲南德欽縣飛來寺	
497	八臂觀音佛母	清	雲南寧蒗彝族自治縣扎美戈寺	
498	化城圖	清	雲南滄源佤族自治縣廣允緬寺	
499	極樂世界	清	雲南滄源佤族自治縣廣允緬寺	
499	舞女圖	清	雲南滄源佤族自治縣廣允緬寺	
501	佛傳故事	清	雲南勐海縣勐遮鎮曼宰龍緬寺	
502	黑象	清	雲南勐海縣勐遮鎮曼宰龍緬寺	
502	百花女神	清	雲南勐海縣勐遮鎮曼宰龍緬寺	
503	寶塔	清	雲南勐海縣勐遮鎮曼宰龍緬寺	
503	佛祖	清	雲南勐海縣勐遮鎮曼宰龍緬寺	

504 年 表

佛本行經變（上圖）

明

位于山西太原市多福寺大雄寶殿東壁南部。

高264、寬490厘米。

此殿東、西、北三壁滿繪佛本行經變。此畫面表現佛誕生前後的本行故事，每幅上部均有榜題。

多福寺大雄寶殿東、西、北三壁繪壁畫，面積90.93平方米。壁畫有天順二年（公元1458年）題記。

雙林涅槃

明

位于山西太原市多福寺大雄寶殿西壁南部。

高105、寬75厘米。

畫面表現雙林樹下，釋迦牟尼卧榻涅槃，十大弟子圍于身旁痛哭失聲之狀，外圍天王、神將等皆惶恐不安。

地藏說法

明

位于四川蓬溪縣寶梵寺大雄寶殿西壁。

高219、寬176厘米。

畫面繪地藏菩薩手拈舍利寶珠正在講説《楞嚴經》。清代曾對此圖重新勾勒裝彩。

寶梵寺大雄寶殿明代壁畫繪于成化二年（公元1466年）。

議赴佛會

明

位于四川蓬溪縣寶梵寺大雄寶殿西壁。

高226、寬182厘米。

畫面表現羅漢與文殊商議赴佛會之事。

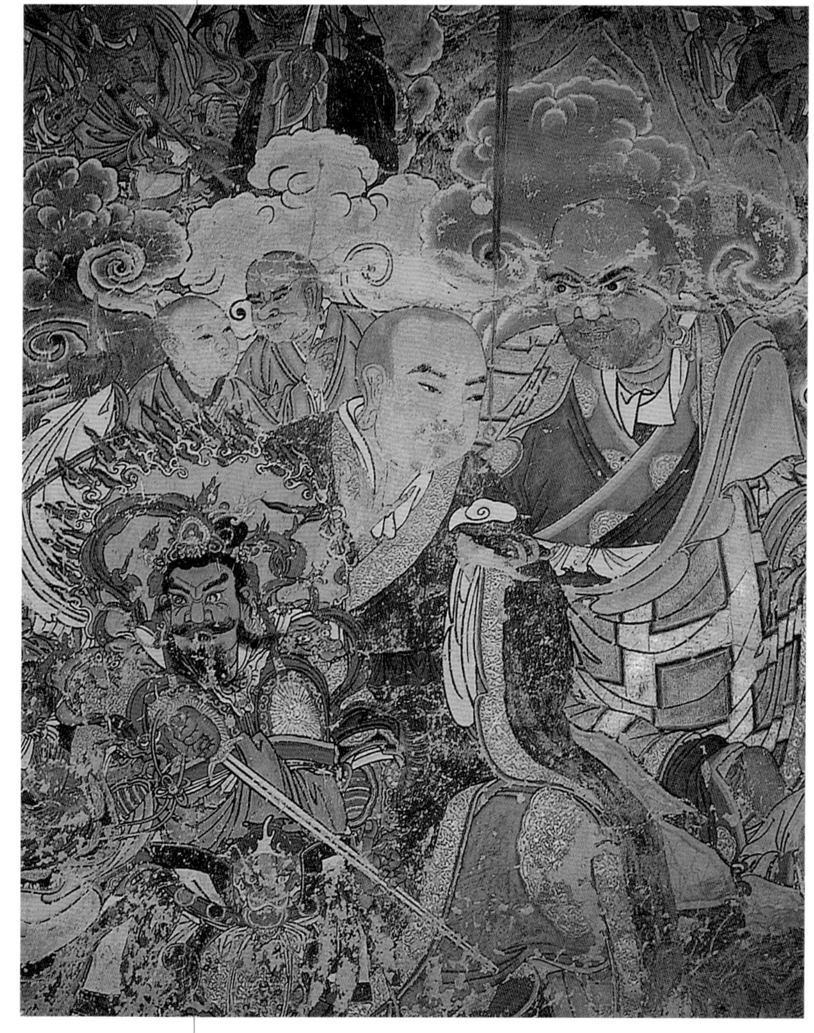

天王及諸天

明

位于山西陽曲縣懸泉寺。

圖中繪三身天王和兩身諸天，爲圓覺菩薩的隨從。

懸泉寺建于成化三年（公元1467年）。

文殊菩薩

明

位于四川新津縣觀音寺毗盧殿東壁第一鋪。

高120、寬98厘米。

菩薩眼微閉，身披白紗，肌膚用珠粉暈染。

觀音寺毗盧殿明代壁畫繪于成化四年（公元1468年）。

圓覺菩薩

明

位于四川新津縣觀音寺毗盧殿東壁第三鋪。

高182、寬130厘米。

圖中菩薩手持經卷。服飾的上色運用了瀝粉貼金的技法。

菩薩與天神

明

位于四川新津縣觀音寺毗盧殿西壁。

畫面左側菩薩爲賢善首菩薩，右側菩薩爲普覺佛菩薩，中間上部爲星官，中間下部爲閻魔羅天。

普覺佛菩薩（上圖）

明

位于四川新津縣觀音寺毗盧殿西壁。

圖中菩薩服飾的綫條用鎏金生漆勾勒。

星官

明

位于四川新津縣觀音寺毗盧殿西壁。

圖中星官着帝王裝，手持笏板，作凝神聆聽狀。

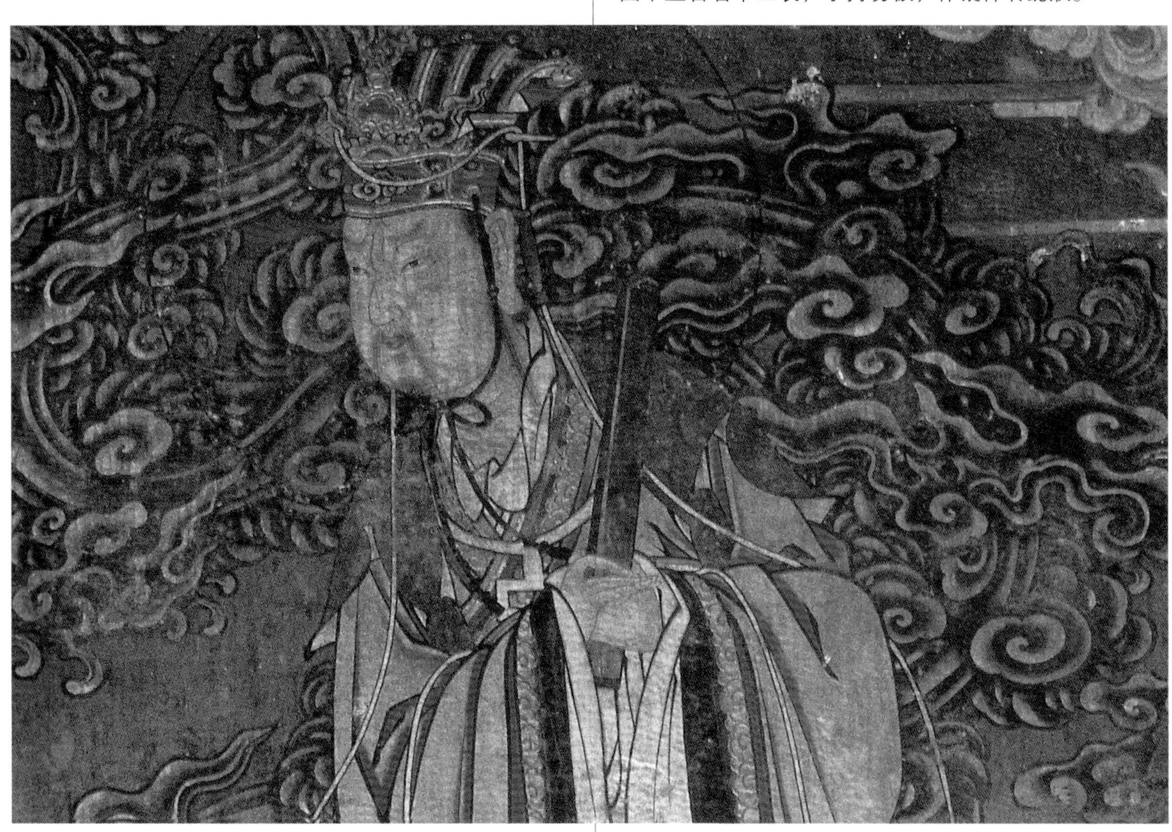

閻魔羅天

明

位于四川新津縣觀音寺毗盧殿西壁。

圖中閻魔羅天着帝王裝，手持笏板，神態嚴肅。

日宫尊天

明

位于四川新津縣觀音寺毗盧殿西壁。

圖中日宫尊天着帝王裝，冠上有紅日，手持笏板。

釋迦説法圖（上圖）

明

位于山西靈石縣資壽寺大雄寶殿西壁。

高420、寬588厘米。

畫面中央爲釋迦牟尼像，兩側爲文殊和普賢菩薩坐像。另有脅侍菩薩、金剛和天王像等，佛座前繪跪姿供養人像。

資壽寺大雄寶殿明代壁畫繪于成化十二年（公元1476年）。

唐王奉佛

明

位于山西靈石縣資壽寺大雄寶殿西壁。

圖中唐王紅帽紅氅，手持奉佛法器，身後高僧捧經卷侍立。唐王身旁繪佛教護法神關羽形象。

天王和諸天

明

位于山西靈石縣資壽寺大雄寶殿西壁左側。

圖下部爲持琵琶的東方持國天王和持劍的南方增長天王，上部爲帝釋天和梵天。

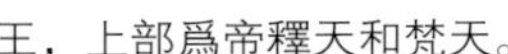

五佛與天龍八部

明

位于山西靈石縣資壽寺藥師殿西壁。

高385、寬770厘米。

圖中上部繪佛像五尊，下部繪天龍八部（東西壁各繪四尊）。

資壽寺藥師殿明代壁畫繪于弘治十二年（公元1499年）。

乾闥婆

明

位于山西靈石縣資壽寺藥師殿西壁中部。

高240、寬187厘米。

此像爲天龍八部之乾闥婆，右手執降魔杵，左手拈摩尼寶珠。

三尊天

明

位于河北正定縣隆興寺摩尼殿東抱廈南壁。高235、寬341厘米。畫面右側三頭六臂者爲大悲尊天，中間爲鬼子母，左側爲金剛尊天。隆興寺摩尼殿明代壁畫繪于成化年間（公元1465–1487年）。

鬼子母

明

位于河北正定縣隆興寺摩尼殿東抱廈南壁。

爲“三尊天”之局部。

菩薩衆

明

位于山西繁峙縣公主寺大佛殿東壁中層。

圖中菩薩皆雙手合十，作禮拜狀。

公主寺大佛殿重建于弘治十六年（公元1503年）。

殿内東、西、北三壁繪滿壁畫，面積99平方米。

菩薩 諸天

明

位于山西繁峙縣公主寺大佛殿東壁中層。

圖中繪佛旁聽法的菩薩和佛道諸神。主菩薩像高89厘米。

曠野大將軍

明

位于山西繁峙縣公主寺大佛殿東壁中層。圖中曠野大將軍身着鎧甲，手持長劍。

四海龍王衆

明

位于山西繁峙縣公主寺大佛殿東壁下層。圖中龍王皆着帝王裝，手持笏板。

大佛殿南壁西部壁畫

明

位于山西繁峙縣公主寺大佛殿南壁西部。南壁主要繪歷史人物、死者亡魂像，以及地府閻羅、獄吏鬼卒等。此圖爲局部。

斗牛女虛危室壁

明

位于山西繁峙縣公主寺大佛殿東壁下層。

圖中繪二十八宿中的北方七宿：斗木獬、牛金牛、女土蝠、虛日鼠、危月燕、室火猪和壁水貐。天神神態各异，皆着帝王裝，手持笏板。

大佛殿南壁東部壁畫

明

位于山西繁峙縣公主寺大佛殿南壁東部。

主要繪歷史人物、死者亡魂、地府閻羅和獄吏鬼卒等。

往古僧道尼比丘（上圖）

明

位于山西繁峙縣公主寺大佛殿南壁中層。

圖中上層兩人爲道士和道姑，下層前三人爲比丘，後兩人爲年老和年輕比丘尼。

往古孝子賢孫衆

明

位于山西繁峙縣公主寺大佛殿南壁中層。

圖中人物分別持杖、負米袋、捧魚盤、持鋤、托人像和抱子，形態各异。

往古貞烈女衆

明

位于山西繁峙縣公主寺大佛殿南壁中部。

圖中繪古代賢婦烈女多位。持劍女子表示自殺殉情盡節，捧碗女子表示奉孝，手持竹棍女子表示守節。

饑荒殍餓飲噉净衆

明

位于山西繁峙縣公主寺大佛殿南壁上層。

圖中繪餓鬼搶奪食物。

大佛殿西壁壁畫

明

像高46-66厘米。

位于山西繁峙縣公主寺大佛殿西壁。

西壁中央繪彌陀佛，周圍繪儒、釋、道教各類形象一百六十六身。此圖爲局部。

天將

明

位于山西繁峙縣公主寺大佛殿西壁下層。

圖中繪天猷副元帥和聖德真君，均手持兵器。

天妃聖母

明

位于山西繁峙縣公主寺大佛殿西壁下層。

圖中聖母頭戴寶冠，手持笏板，身後兩位侍女執扇侍奉。

五道神衆

明

位于山西繁峙縣公主寺大佛殿西壁中層。

佛教稱天、人、畜生、餓鬼和地獄五處輪迴爲五道，掌管此五道之神爲五道神。圖中衆神皆手持笏板，作朝拜狀。

十二屬相神衆（上圖）

明

位于山西繁峙縣公主寺大佛殿西壁中層。

衆神皆爲動物首人身，表現各種屬相。

北斗星君衆

明

位于山西繁峙縣公主寺大佛殿西壁中層。

衆神皆女相，着袍服，持笏板。

三聖像

明

位于山西新絳縣稷益廟正殿東壁中部。

高140、寬245厘米。

三聖爲伏羲、神農和黄帝。圖中三聖皆爲帝王裝，捧圭坐于宮殿内。

稷益廟正殿四壁繪滿壁畫，面積131.11平方米，繪于正德二年（公元1507年）。

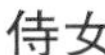

侍女

明

位于山西新絳縣稷益廟正殿東壁中部。

高190、寬156厘米。

圖中侍女爲三聖像旁邊内宫的侍女，有的正在準備物品，有的恭立侍奉。

侍女

明

位于山西新絳縣稷益廟正殿東壁。

圖中兩侍女分別手捧珊瑚盆景。

侍女

明

位于山西新絳縣稷益廟正殿東壁。

圖中侍女分別手持盆景、拂塵和罐。

武士

明

位于山西新絳縣稷益廟正殿東壁中部。

高155、寬85厘米。

此爲三聖像殿前的衛士，頭戴纓盔，身着鎧甲，手持寶劍。

帝王朝聖

明

位于山西新絳縣稷益廟正殿東壁南部。

高208、寬162厘米。

圖中一帝王形象的人物站立橋上，面向三聖方向，其前面侍吏抬供案，作朝拜前的準備。

宮娥儀衛

明

位于山西新絳縣稷益廟正殿東壁。宮女頭戴朱巾，手持矛杆，杆頭套彎鈎吊環，鈎上垂挂香爐。

林間人物

明

位于山西新絳縣稷益廟正殿東壁。
圖中三人皆手持穀物。

武士

明

位于山西新絳縣稷益廟正殿東壁。

武士手持兵器，下部兩位大力侏儒抬一大缸，内裝珊瑚等貢物。

畜護嬰兒

明

位于山西新絳縣稷益廟正殿東壁南部。

高134、寬97厘米。

描繪后稷誕生的神話故事。一條巷子裏，牛、羊、驢等牲畜圍住一剛出世的嬰兒（后稷）。後面屋内兩婦人爲嬰兒洗浴。

捕蝗

明

位于山西新絳縣稷益廟正殿東壁北部下隅。

高140、寬109厘米。

圖中一農夫縛住一隻巨大的蝗蟲站在前列，蝗蟲竭力掙扎而農夫全力繫緊，用以向三聖顯示農人除蝗的决心，祈願蟲害盡去，五穀豐登。

武士與獵户

明

位于山西新絳縣稷益廟正殿東壁北部。

高130、寬102厘米。

圖中獵户手持獵物面向三聖朝聖。

侍女

明

位于山西新絳縣稷益廟正殿東壁南側。

圖中侍女提壺，蹲于平臺上。

大禹 后稷 伯益

明

位于山西新絳縣稷益廟正殿西壁中部。

高180、寬300厘米。

畫面正中坐大禹，后稷、伯益分居兩側。宮女持羽翣，侍吏擎寶蓋，儀衛執金瓜、鉞斧、朝天鐙等，群臣捧笏。

朝聖百官

明

位于山西新絳縣稷益廟正殿西壁。

圖爲大禹、后稷和伯益，兩旁衆多朝聖官員，百官神態各异。

朝聖百官之一

朝聖百官之二

朝聖百官之三

耕獲圖

明

位于山西新絳縣稷益廟正殿西壁南部。

高194、寬340厘米。

畫面表現在后稷神靈的佑護下，農民耕作、收獲的場景。

祭祀

明

位于山西新絳縣稷益廟正殿西壁南部上隅。

高210、寬368厘米。

圖中設祭壇一座，上奉三座牌位："昊天玉皇上帝位"居中，"始祖后稷神位"居左，"始祖伯益神位"居右。朝聖者捧笏恭身。兩側樂隊彈奏，儀仗肅立。

侍女

明

位于山西新絳縣稷益廟正殿西壁。

高192、寬157厘米。

圖中侍女們手捧侍奉物沿迴廊和臺階行走，一樂伎手持琵琶探身隨行。

朝謁

明

位于山西新絳縣稷益廟正殿西壁。

圖中人物皆爲文官形象，手持奏表，列隊而行。

金剛

明

位于山西太谷縣圓智寺千佛殿南壁板門東側。

高163、寬122厘米。

圖中金剛爲武士形象，手持劍。

諸仙赴會

明

位于山西洪洞縣廣勝上寺西垛殿東壁。

諸像高153-189厘米。

圖中諸神有青龍星君、白虎星君、天蓬元帥、東華帝君等。

廣勝上寺西垛殿明代壁畫繪于正德八年（公元1513年）。

溪仙

明

位于山西太原市晋祠聖母殿前槽南次間門額上隅。

高120、寬167厘米。

聖母殿前槽兩次間、兩梢間横披迎風壁上繪十二溪仙赴蟠桃會，此爲其中局部。十二溪仙爲聖母的侍從女官。晋祠聖母殿明代壁畫繪于正德十年（公元1515年）。

十八羅漢

明

位于山西太谷縣圓智寺大覺殿北壁東次間。

高238、寬178厘米。

此殿北壁二次間繪十八羅漢像，本圖爲其局部。

圓智寺大覺殿建于嘉靖十二年（公元1533年）。

明王

明

位于山西太谷縣圓智寺大覺殿北壁西梢間。

高168、寬134厘米。

明王三頭六臂，手中分別持劍、銅錘和寶珠等。

毗盧殿東壁北側壁畫

明

位于河北石家莊市毗盧寺毗盧殿東壁。

毗盧殿東壁壁高280、寬760厘米。

壁畫題記三十組，繪人物一百二十五身。内容以道教人物爲主，包括南極長生大帝、扶桑大帝、玄天上帝、鬼子母和冥府十王等。

毗盧寺毗盧殿東、西、東南、西南、東北和西北六壁繪壁畫，面積122平方米，繪于嘉靖十四年（公元1535年）。

毗盧殿東壁南側壁畫

明

位于河北石家莊市毗盧寺毗盧殿東壁。

南極長生大帝

明

位于河北石家莊市毗盧寺毗盧殿東壁。

南極長生大帝爲主掌人間壽夭之神。圖中大帝有頭光，帝王裝，右手持如意盞，左手于盤中取物。兩旁侍女分別捧蓮和靈芝侍奉，身後一侍女舉華蓋。

天妃聖母

明

位于河北石家莊市毗盧寺毗盧殿東壁。

天妃聖母又稱天后、天上聖母和媽祖等，是保佑航海人平安的海神，又有送子娘娘的職司。圖中天妃聖母頭戴鳳冠，雙手持圭。身旁侍女一捧印一持扇。

北岳西岳等衆

明

位于河北石家莊市毗盧寺毗盧殿東壁。北岳爲恒山，西岳爲華山。兩尊岳神皆爲帝王裝，手持圭，兩旁侍者一舉華蓋一舉扇。

四海龍王

明

位于河北石家莊市毗盧寺毗盧殿東壁。圖中龍王形象均爲怒髮張目，身着長袍，或手持笏板，或手持夜明珠。

玄天上帝

明

位于河北石家莊市毗盧寺毗盧殿東壁。

玄天上帝又稱玄武和真武大帝等，與青龍、白虎、朱雀合稱四方四神。圖中玄天上帝披髮跣足，右手持長劍。

地府三曹 獄主鬼王

明

位于河北石家莊市毗盧寺毗盧殿東壁。

圖中地府三曹手執判官筆和生死簿，獄主鬼王爲牛頭馬面，手持三股叉。

護齋護戒龍神

明

位于河北石家莊市毗盧寺毗盧殿東壁。

圖中兩尊龍神皆身披鎧甲，手持長劍，怒目圓睜，頭後有火焰形頭光。

鬼子母

明

位于河北石家莊市毗盧寺毗盧殿東壁。

圖中鬼子母頭戴鳳冠，雙手捧圭。身旁一持劍武士爲其夫，一兒童爲其子。身後幾位婦女懷抱兒童，一兒童騎于迦陵頻伽鳥背之上。

清源妙道真君

明

位于河北石家莊市毗盧寺毗盧殿東壁。

清源妙道真君，又稱二郎神，原爲隋代嘉州太守趙昱。圖中主神左手執如意，右手牽白犬。

毗盧殿西壁南側壁畫

明

位于河北石家莊市毗盧寺毗盧殿西壁。

毗盧殿西壁壁高280、寬760厘米。

壁畫題記三十組，繪人物一百三十三身。內容以道教人物爲主，包括北極紫微大帝、四瀆龍神和崇寧護國真君等。

四瀆龍神

明

位于河北石家莊市毗盧寺毗盧殿西壁。

四瀆爲長江、黄河、淮河和濟水。圖中四尊龍神皆手持笏板。

崇寧護國真君

明

位于河北石家莊市毗盧寺毗盧殿西壁。

宋徽宗崇寧年間封關羽爲護國真君。圖中關羽身披鎧甲，長髯，雙手握玉帶。其身後戴幞頭者爲關平，持青龍偃月刀者爲周倉，還有一頂盔披甲之武將。

曠野大將等衆

明

位于河北石家莊市毗盧寺毗盧殿西壁。

曠野大將即四方大將，是佛教護法神。

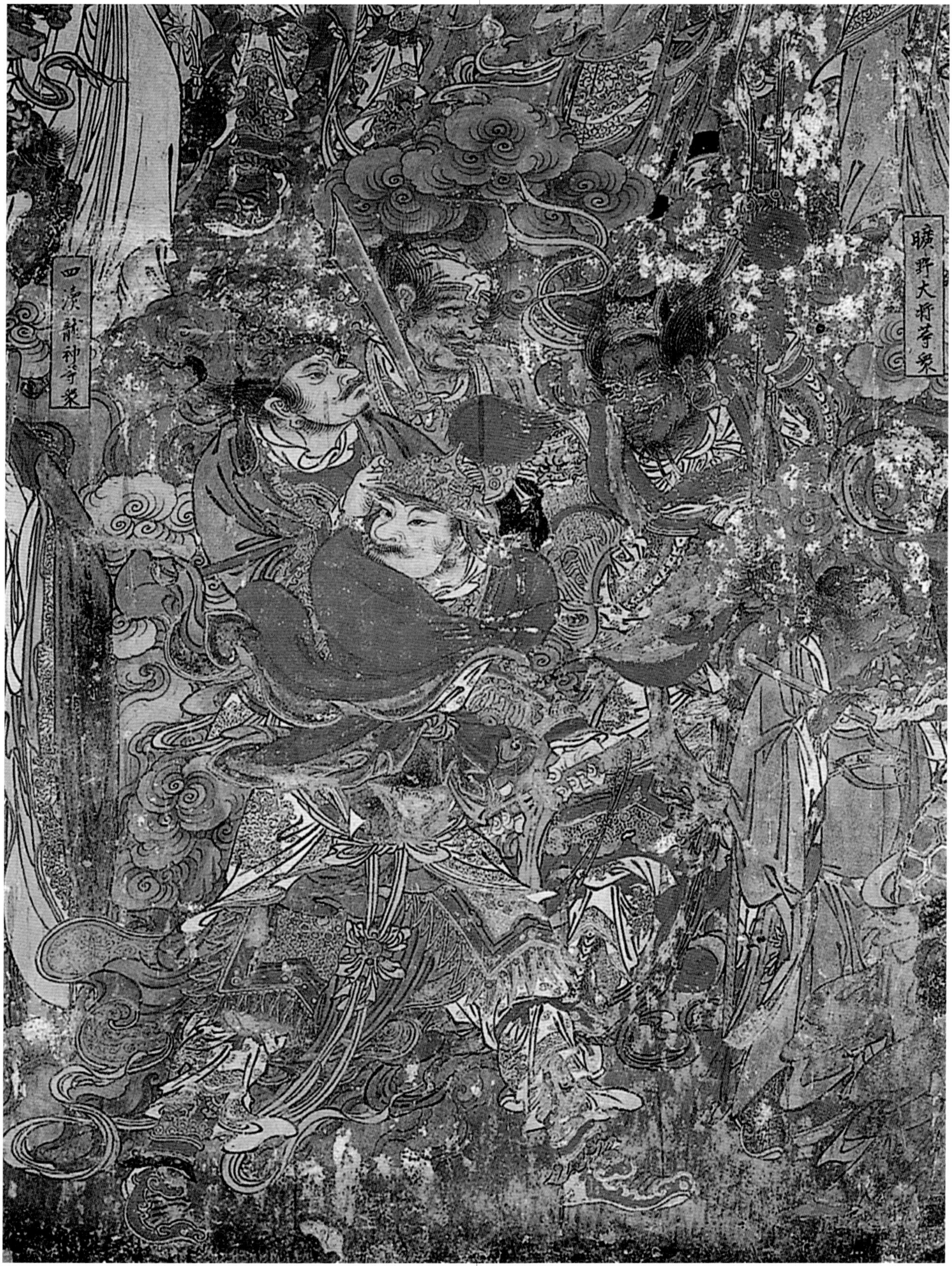

五湖龍神

明

位于河北石家莊市毗盧寺毗盧殿西壁。

五湖應泛指天下的湖泊。圖中人物爲五湖龍神之一，龍神頭戴冠。此圖爲局部。

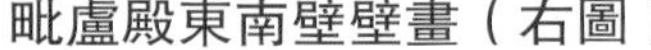

毗盧殿東南壁壁畫（右圖）

明

位于河北石家莊市毗盧寺毗盧殿東南壁。

毗盧殿東南壁壁高280、寬535厘米。

壁畫題記十二組，共繪往古人物七十三身。內容以世俗往古人物爲主，包括引路王菩薩、往古帝王文武官僚和往古孝子賢孫等。

引路王菩薩

明

位于河北石家莊市毗盧寺毗盧殿東南壁東部偏上。

引路王菩薩爲引導亡魂做善事的菩薩。圖中菩薩頭後有頭光，右手持幡，左手持如意盞，身後祥雲環繞。

往古帝王文武官僚衆

明

位于河北石家莊市毗盧寺毗盧殿東南壁東部下方。

圖中頭戴五梁冠，身着紅袍的人物應是帝王，其餘人物代表文武官僚。

往古忠臣良將

明

位于河北石家莊市毗盧寺毗盧殿東南壁中部下方。

圖中文臣模樣人物分別爲姜尚和諸葛亮。姜尚身右側繪一魚竿，武將分別爲尉遲敬德和岳飛。

往古孝子順孫

明

位于河北石家莊市毗盧寺毗盧殿東南壁西部下方。

內容取材于二十四孝，重點描繪了卧冰求鯉、戲彩娛親、哭竹生笋、爲母埋兒、仲由負米等故事。

街市

明

位于河北石家莊市毗盧寺毗盧殿東南壁西部偏下。

此圖以街市情景來體現往古九流百家之衆。

毗盧殿東北壁東側壁畫

明

位于河北石家莊市毗盧寺毗盧殿東北壁。

毗盧殿東北壁壁高280、寬535厘米。

壁畫題記十九組，繪人物七十身。内容以道釋人物爲主，包括玉皇大帝、帝釋天、明王和十六羅漢等。

玉皇大帝

明

位于河北石家莊市毗盧寺毗盧殿東北壁。

圖中玉皇爲帝王裝，雙手執圭。周圍三位天女一捧珊瑚，一捧印，一執扇。一天將舉華蓋。

金剛

明

位于河北石家莊市毗盧寺毗盧殿東北壁。

圖中兩位金剛均袒胸、赤足，頭後有火焰紋頭光，一金剛手持金剛杵。

毗盧殿西北壁壁畫

明

位于河北石家莊市毗盧寺毗盧殿西北壁。

毗盧殿西北壁壁高280、寬535厘米。

壁畫題記十七組，繪人物五十四身。内容以道釋人物爲主，包括天妃聖母、摩利支天和天王等。

摩利支天

明

位于河北石家莊市毗盧寺毗盧殿西北壁。

圖中摩利支天八臂，其中二臂在胸前合十，另六臂分持寶鏡、無憂花枝、金剛杵、寶幡和骷髏等法器。

廣目增長天王

明

位于河北石家莊市毗盧寺毗盧殿西北壁。

圖中廣目天王膚呈褐色，着甲衣，右手繞一青龍。增長天王膚呈淡粉色，着甲衣，右手持寶傘（寶幡），左手托一塔。

降三世明王金剛首菩薩

明

位于河北石家莊市毗盧寺毗盧殿西北壁。

圖中明王三頭六臂，手中分別執戟、鏡和繩索等兵器和法器。

毗盧殿西南壁壁畫

明

位于河北石家莊市毗盧寺毗盧殿西南壁。

毗盧殿西南壁壁高280、寬535厘米。

壁畫題記十三組，繪人物五十三身。内容以世俗往古人物爲主，包括啓教大師、往古賢婦烈女等。

城隍五道土地衆

明

位于河北石家莊市毗盧寺毗盧殿西南壁。

圖中城隍神頭戴展角幞頭，身着紅袍，雙手執笏。土地神爲頭戴烏帽，衣着緑袍的老者形象。

面然鬼王

明

位于河北石家莊市毗盧寺毗盧殿西南壁。

據佛經記載，阿難在半夜夢見一餓鬼，自稱面然，稱阿難三日後將變爲餓鬼。阿難求助于佛，佛授以經咒，稱誦此經可使餓鬼得食，使阿難免其難，這就是印度水路道場的緣起。圖中鬼王赤髮飄動，口吐火焰，骨瘦如柴。鬼王身旁圍繞幾個小餓鬼，均身體枯瘦。

聖母出宮

明

位于山西汾陽市聖母廟聖母殿東壁中部。

圖中聖母身着鳳冠霞帔，正欲登輦巡幸。衆侍女在周圍侍奉。

聖母廟聖母殿建于嘉靖二十八年（公元1549年）。殿内東、西、北三壁及殿外廊下山墻上均繪壁畫，面積76.37平方米。

侍女送行

明

位于山西汾陽市聖母廟聖母殿東壁北部。

圖中一隊侍女熙熙攘攘跟在聖母身後，殿外滿載嬰兒的馬車即將起行，去爲求子者續嗣添福。

侍女

明

位于山西汾陽市聖母廟聖母殿東壁北部。

爲“侍女送行”之局部。圖中一侍女手捧小犬，一侍女懷抱小童。

奏樂侍女

明

位于山西汾陽市聖母廟聖母殿北壁。

圖中三位侍女分别演奏横笛、琵琶和拍板。

宮廷宴樂

明

位于山西汾陽市聖母廟聖母殿北壁東部。圖中樂伎手執多種樂器正作行進狀。樂隊中還有捧金鐘、玉盞、熒光和蠟臺者。

樂伎

明

位于山西汾陽市聖母廟聖母殿北壁東部。

“宫廷宴樂”之左側局部。圖中樂伎持琴和拍板等。

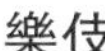

樂伎

明

位于山西汾陽市聖母廟聖母殿北壁東部。

“宫廷宴樂”之中部局部。圖中樂伎彈琵琶、吹笙和持琴等。

執傘抬食

明

位于山西汾陽市聖母廟聖母殿北壁東壁。

“宮廷宴樂”之右側局部。圖中僕人或執傘，或抬食箱。

侍女

明

位于山西汾陽市聖母廟聖母殿北壁。

圖右兩侍女分別吹笙和橫笛，圖左四侍女分別捧琴、奩盒、棋和金盞侍立。

齋供

明

位于山西汾陽市聖母廟聖母殿西壁。

高283、寬226厘米。

圖中殿堂檐下匾題“聖母娘娘殿”。殿内供案上列珊瑚、靈芝和牡丹。一婦女正在檢視設供情況，兩宫女于旁侍立聽命。供案周圍兩宫女持扇，一宫女執拂塵侍立。殿前兩宫女舉燈，一侏儒力士頭頂盛靈芝供盤迎候聖母。臺階下神將持劍護衛。

侍者行進

明

位于山西汾陽市聖母廟聖母殿北壁西部。

圖中侍者們抬玉案金鐘，沿廊而行。

聖母巡幸

明

位于山西汾陽市聖母廟聖母殿西壁中部。此圖爲聖母巡幸歸來的場景。龍君馭青龍駕輦而行，周圍諸將護持。

聖母

明

位于山西汾陽市聖母廟聖母殿西壁中部。

爲"聖母巡幸"之局部。圖中聖母頭戴金冠，身穿朱裳，坐于輦中。

侍從

明

位于山西汾陽市聖母廟聖母殿西壁。

圖中侍從爲聖母巡幸的隨行侍者，肩扛幡。

神將

明

位于山西汾陽市聖母廟聖母殿西壁。

圖中神將爲聖母巡幸的隨行護衛，皆乘馬。

水母巡幸

明

位于山西太原市晋祠水母樓二層北壁。

高298、寬447厘米。

水母即水神。此圖表現水母出宫巡游的場面。晋祠水母樓建于嘉靖四十二年（公元1563年）。

水母回歸

明

位于山西太原市晋祠水母樓二層南壁。

高221、寬190厘米。

圖中水母立于波浪之上，身後侍從舉幡隨行，表現水母巡游結束後回歸的場面。

月光菩薩

明

位于山西陽高縣雲林寺大雄寶殿北壁。

高109、寬85厘米。

圖中菩薩半結跏趺坐，右手托月，右足踏蓮臺。

文勛官僚衆

明

位于山西陽高縣雲林寺大雄寶殿東壁。

高81、寬63厘米。

圖中白須長者爲姜尚，戴綸巾人物爲諸葛亮。

往古賢婦烈女衆

明

位于山西陽高縣雲林寺大雄寶殿東壁。

高80、寬75厘米。

圖中人物手中持劍、傘和銅鏡等。

園林嬉戲

明

位于山西平遥縣鎮國寺三佛樓東壁。

高85、寬67厘米。

此圖爲佛傳故事第十九幅，榜題“園林嬉戲”。太子悉達多着紅袍坐于椅中，旁有樂舞伎、雜耍四人。圖中人物皆爲漢人裝束。

風雷雨電神

明

位于山西清徐縣狐突廟正殿。

圖中風神持風瓶，雷神持錘，雨神持柳枝，電神持鏡。

十六羅漢之賓度羅跋羅惰闍尊者

明

位于天津薊縣獨樂寺觀音閣東壁。

高315、寬257厘米。

圖中羅漢着緑條紅色袈裟，右手捻指。

獨樂寺觀音閣四壁下層繪壁畫，面積142.85平方米。

十六羅漢之迦哩迦尊者

明

位于天津薊縣獨樂寺觀音閣北壁東側。

高315、寬244厘米。

圖中羅漢頭戴風帽，身披緑條粉色袈裟，左手提拂塵，右手捻指。

十六羅漢之因竭陀尊者

明

位于天津薊縣獨樂寺觀音閣西壁。

高315、寬269厘米。

圖中羅漢頭戴冠，披緑條紅色袈裟，脚穿草鞋，左手托鉢，右肩扛錫杖。托舉的鉢盆引來幾隻覓食的小鳥。

十六羅漢之阿什多尊者

明

位于天津薊縣獨樂寺觀音閣北壁西側。

高315、寬244厘米。

圖中羅漢着緑條白色袈裟，高鼻深目，梵相，手捻數珠，作説法狀。

十六羅漢之伐闍弗多羅尊者

明

位于天津薊縣獨樂寺觀音閣北壁東側。

圖中羅漢着偏袒緑條紅色袈裟，右手掐指，左手持有柄蓮花香爐。

十六羅漢之注茶半托迦尊者

明

位于天津薊縣獨樂寺觀音閣北壁西側。

圖中羅漢着偏袒藍條白色外衣，左手掐指，右手提袈裟一角。

釋迦如來會

明

位于雲南玉龍納西族自治縣大寶積宮西壁。

高367、寬498厘米。

圖中釋迦牟尼坐于高蓮座上，座前二弟子侍立。頭上三世諸佛乘雲而來。釋迦兩旁站立衆神。

大寶積宮建于萬曆十一年（公元1583年）。殿內西、北、南三壁繪壁畫。

神衆

明

位于雲南玉龍納西族自治縣大寶積宮西壁。

爲“釋迦如來會”畫右下部之局部。畫面左側弟子左手托鉢，錫杖倚于其肩。中間菩薩頭戴寶冠，雙手合十作禮佛狀。畫面右側二菩薩均作禮佛狀。

諸天

明

位于雲南玉龍納西族自治縣大寶積宮西壁。

爲“釋迦如來會”畫面右側中間之局部。諸天神作悉心聽法狀。

天王

明

位于雲南玉龍納西族自治縣大寶積宮西壁。

爲“釋迦如來會”畫面右下部之局部。天王分别手持弓箭和長劍。

瑪哈嘎拉

明

位于雲南玉龍納西族自治縣大寶積宮西壁。

爲“釋迦如來會”畫面中佛座右下部之局部。瑪哈嘎拉爲護法金剛，六臂，手持念珠、鉢和繩索等法器，足下踏惡鬼。

多聞天財神

明

位于雲南玉龍納西族自治縣大寶積宮西壁。

圖中多聞天戴寶冠，上有蓮花飾及寶珠，圓形頭光邊飾火焰紋，右手執杖，坐于一卧獅上。獅子回首仰視。

天女
明

位于雲南玉龍納西族自治縣大寶積宮南壁。圖中衆天女雙手合十，悉心聽法。

護法神衆

明

位于雲南玉龍納西族自治縣大寶積宫南壁。圖中衆神多爲武將形象，手執各種武器。

四臂觀音

明

位于雲南玉龍納西族自治縣大寶積宮南壁。

圖中四臂觀音坐于中央高座上，四周圍繞神衆二十身。

觀音大士圖

明

位于雲南玉龍納西族自治縣大定閣正殿北壁。

高196、寬135厘米。

圖中菩薩坐于花叢樹林間，周圍有各種花草。菩薩倚坐，神態安詳，畫面右上方和右下方各有一尊菩薩，作供養狀。

大定閣建于萬曆末至天啓初。殿内四壁繪壁畫，殘損較重。

飛天（上圖）

明

位于雲南玉龍納西族自治縣大定閣正殿北壁。

圖中飛天左手托盤，身繞飄帶。

飛天

明

位于雲南玉龍納西族自治縣大定閣正殿南壁。

圖中飛天一手托盤，一手捻指，姿態優美。

大覺宮西壁壁畫

明

位于雲南玉龍納西族自治縣大覺宮西壁。高216、寬320厘米。圖中菩薩坐于中央光環蓮座上。中部左右兩邊繪神像，下方繪諸天。

大覺宮建于萬曆初期。殿内北、東、西三壁繪壁畫，北壁壁畫已毀不存。

菩薩 天王

明

位于雲南玉龍納西族自治縣大覺宮西壁。

爲“大覺宮西壁壁畫”畫面左下方局部。菩薩或合十或手持蓮花，天王持金剛杵。

八臂觀音

明

位于雲南玉龍納西族自治縣大覺宮西壁。圖中觀音三面八臂，手持各種法器。

東皇大帝

明

位于雲南玉龍納西族自治縣大覺宮西壁。圖中大帝頭戴帝君冠，冠中有紅日，項下佩金雲。

帝釋天海會圖

明

出于雲南麗江市木土司老宅。

木板壁畫。

圖中帝釋天右手持扇，有環形頭光。後有侍從舉輦隨從，前有樂隊持各種樂器演奏。上有寶蓋，流雲中有飛天撒花，下部爲部屬諸天。現藏雲南省博物館。

大梵天海會圖

明

出于雲南麗江市木土司老宅。

木板壁畫。

圖中大梵天有環形頭光，右手執如意，上有一壺。前有樂隊奏樂，後有隨從供養，上有飛天撒花。

現藏雲南省博物館。

法神

公元14–15世紀
位于西藏札達縣古格故城紅殿。
圖中法神呈大力托舉佛座狀。

初轉法輪

公元14–15世紀

位于西藏札達縣古格故城紅殿殿堂北壁下部。

圖中表現釋迦牟尼于鹿野苑説法，初轉法輪的情景。天神、弟子和外道跪坐兩旁，悉心聽法。

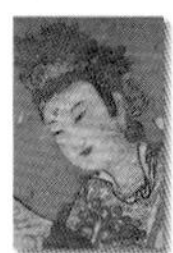

外道和比丘

公元14–15世紀
位于西藏札達縣古格故城紅殿殿堂北壁下部。
爲“初轉法輪”圖右側之局部。

脅侍菩薩

公元14–15世紀
位于西藏札達縣古格故城紅殿殿堂北壁。
圖中菩薩穿裙，繞帔帛。

禮佛圖

公元14–15世紀

位于西藏札達縣古格故城紅殿殿堂東壁下部。

畫面由三部分組成。第一部分爲古格王室成員：上層爲國王、王子和大臣；中層爲王后、王妃和公主；下層是禮佛的貢品。第二部分上層爲民衆，中層爲賓客，服裝不同于當地民衆，下層爲遠道而來的禮佛者。第三部分爲禮佛的樂舞活動。

白度母

公元14–15世紀

位于西藏札達縣古格故城紅殿殿堂東壁。

圖中白度母頭戴寶冠，豐乳袒腹，上着緊身小衣，下穿長裙。

白象

公元14–15世紀
位于西藏札達縣古格故城紅殿南壁。
圖中象繪于佛座上，背上綁負寶物。

雙獅

公元14–15世紀
位于西藏札達縣古格故城紅殿南壁。
圖中雙獅相背卧立于纏枝花中。

裝飾圖案（上圖）

公元14-15世紀
位于西藏札達縣古格故城紅殿南壁。
圖案繪于佛座上，由連續的忍冬花組成花環，環中繪獅、象、人首蛇身女神和蓮花等。

獅子

公元14-15世紀
位于西藏札達縣古格故城紅殿殿堂。
圖中獅子繪于佛座上，回首張口，凶猛有力。

天女

公元14–15世紀

位于西藏札達縣古格故城紅殿。

該圖爲佛座上的圖案，兩天女手上舉，作供奉狀。身後爲兩朵如意團花。

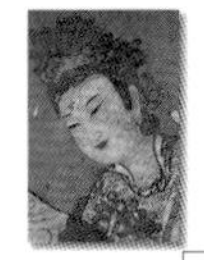

倒立天人

公元14–15世紀

位于西藏札達縣古格故城紅殿。

圖中天人繪于佛座上，裸上身，身繞帔帛，倒立姿，雙臂有力。

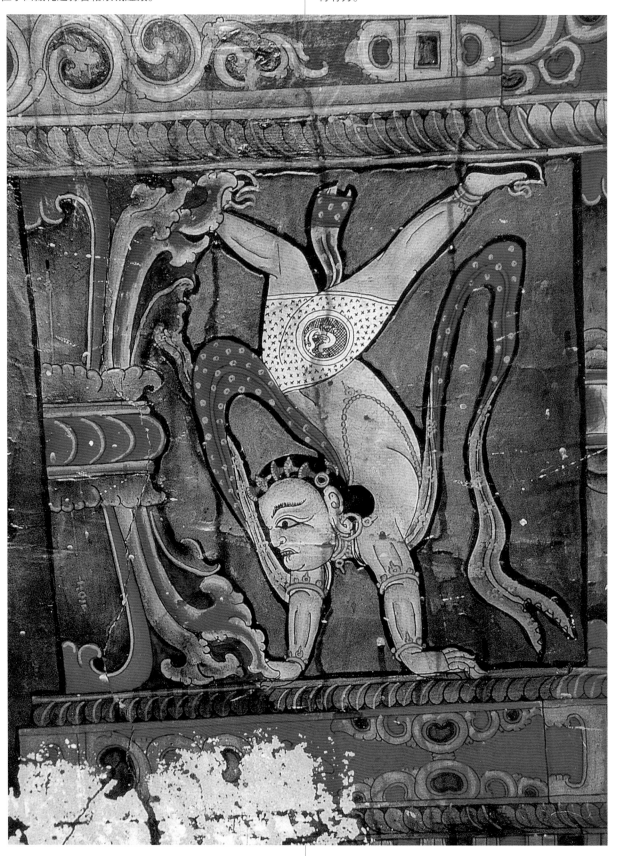

裝飾圖案

公元14–15世紀

位于西藏札達縣古格故城紅殿。

圖中圖案爲殿堂天頂裝飾，變化多樣，色彩艷麗。

衆女神小像

公元14–15世紀

位于西藏札達縣古格故城白殿殿堂内壁。

圖中衆女神小像繪在主像的背光周圍，皆頭戴花冠，身披帛帶，手持寶物，結跏趺坐于蓮臺之上。

古格王統世系

公元14－15世紀

位于西藏札達縣古格故城白殿殿堂北壁。

高104、寬82，坐像高約24厘米。

畫面上排三像均有藏文題名，從左到右依次爲古格第一代王德祖袞的兄弟扎西袞、第四代王威德、第五代王孜德。

佛母及化身

公元14–15世紀

位于西藏札達縣古格故城白殿殿堂西壁。

圖中三尊佛母像居中稍大，均頭戴寶冠，手執法器，結跏趺坐于蓮臺。四周爲化身小像，盤坐于蓮臺，上身作舞蹈姿。

佛母及化身（上圖）

公元14－15世紀

位于西藏札達縣古格故城白殿殿堂西壁。

圖中正中爲藍身五面十臂佛母，周圍爲化身佛小像。

諸神圖

公元14－15世紀

位于西藏札達縣古格故城白殿殿堂西壁。

圖中上半部爲各種時輪金剛的變相，下半部爲星宿神及金翅鳥。

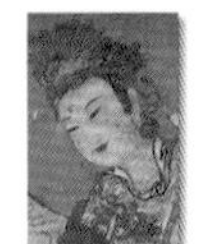

外道人物

公元14–15世紀

位于西藏札達縣古格故城白殿。

本圖表現的是各色外道妖魔。

閻王和地母

公元14–15世紀
位于西藏札達縣古格故城白殿。
圖中閻王倚地母，同爲外道妖魔。

鸞鳳（上圖）

公元14–15世紀

位于西藏札達縣托林寺杜康大殿天花板。

圖中鸞鳳展翅飛翔，色彩艷麗。

飛天 金翅鳥

公元14–15世紀

位于西藏札達縣托林寺杜康大殿天花板。

圖中繪飛天、金翅鳥，均呈飛行狀。

飛天（上圖）

公元14–15世紀

位于西藏札達縣托林寺杜康大殿天花板。

圖中飛天展臂騰空。

金剛舞女

公元14–15世紀

位于西藏札達縣托林寺杜康大殿殿堂門廊東壁。

圖中舞女頭戴花冠，條帛飄舞繞身，上身穿短袖緊身衣，下着長裙，赤足，作舞蹈狀。

金剛舞女

公元14–15世紀

位于西藏札達縣托林寺杜康大殿門廊。

金剛舞女

公元14–15世紀
位于西藏札達縣托林寺杜康大殿門廊。

金剛舞女

公元14–15世紀
位于西藏札達縣托林寺杜康大殿門廊。

金剛舞女

公元14–15世紀
位于西藏札達縣托林寺杜康大殿門廊。

供水天女

公元14–15世紀
位于西藏札達縣托林寺杜康大殿後殿西壁。
圖中天女右手叉腰，左手托海螺。

供花天女

公元14–15世紀
位于西藏札達縣托林寺杜康大殿後殿西壁。
圖中天女手持花朵。

獻舞天女

公元14–15世紀
位于西藏札達縣托林寺杜康大殿後殿西壁。
圖中天女身材婀娜，舞姿優美。

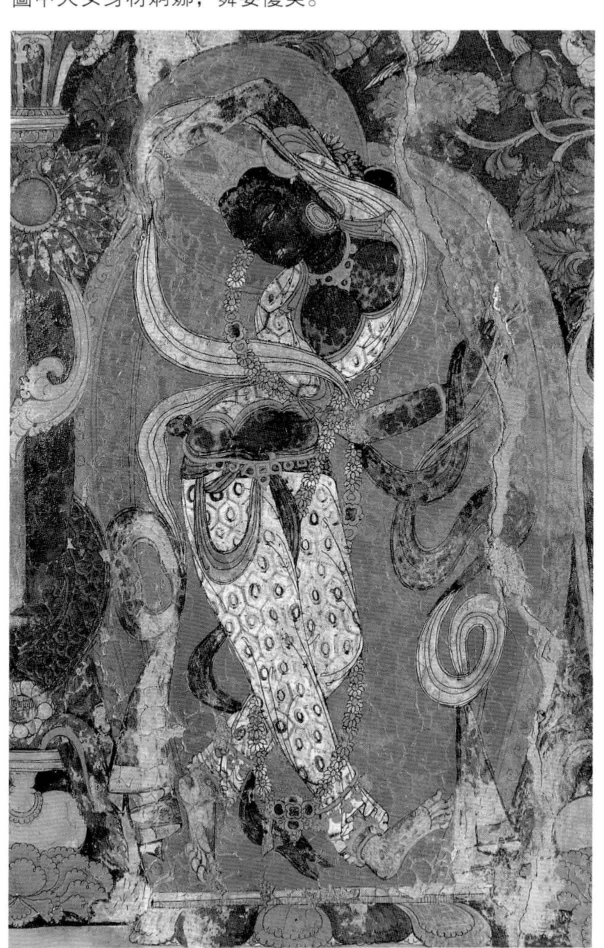

奏琴天女

公元14–15世紀

位于西藏札達縣托林寺杜康大殿後殿西壁。
圖中天女左手按弦，右手持弓拉琴。

誕生

公元14–15世紀

位于西藏札達縣托林寺杜康大殿後殿。
畫面表現悉達多從其母腋下誕生的場景。

彩繪圖案

公元14-15世紀
位于西藏札達縣托林寺拉康嘎波天花板。
圖案以華麗的花草紋爲主，間以珍禽瑞獸及鳥翼鳥腿人物。

度母

公元14–15世紀

位于西藏札達縣托林寺拉康嘎波東壁。

圖中度母束高髻，戴寶冠，裸上身，結跏趺坐于蓮臺。

承柱力士

公元14–15世紀

位于西藏札達縣托林寺拉康嘎波東壁。

圖中力士上身赤裸，下着短褲，單臂向上作奮力托舉狀。

忍冬 力士 獅子圖案

公元14–15世紀

位于西藏札達縣托林寺拉康嘎波東壁。

圖案以婉轉流暢的忍冬紋構成圓形二方連續的邊飾框架,當中飾以力士、獅子等。

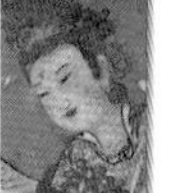

高僧

公元14－15世紀

位于西藏札達縣托林寺拉康嘎波東壁。

圖中高僧戴僧帽，身着袈裟，手結説法印，身旁兩弟子侍立。

天女與承柱力士

公元14–15世紀

位于西藏札達縣托林寺拉康嘎波東壁。
圖中天女豐乳細腰，力士健壯威武。

金剛多羅母

公元14-15世紀
位于西藏札達縣托林寺拉康嘎波東壁。
高200、寬150厘米。
圖中主尊三面六臂，手持不同法器，分别爲斧、矢、金剛杵、繩索、拂和弓。

人間和地獄

公元14–15世紀

位于西藏札達縣托林寺拉康嘎波東壁。

圖中上部分繪人間載歌載舞的歡樂場面，下部分表現暗黑地獄中各種罪人遭受種種殘害之狀。

静修

公元14–15世紀

位于西藏札達縣托林寺拉康嘎波東壁。

圖中表現高僧在林間修煉。

供養天女（上圖）

公元14-15世紀

位于西藏札達縣托林寺拉康嘎波西壁。

畫面中供養天女或捧供盤，或舉供盤作行走狀。

毗沙門天王

公元14-15世紀

位于西藏札達縣托林寺拉康嘎波南壁。

圖中毗沙門天王騎獅，手持傘。

曼荼羅

公元14–15世紀

位于西藏札達縣托林寺貢康殿内。

此圖爲金剛界曼荼羅，中繪大圓圈，内分九格。

天女

公元14－15世紀
位于西藏札達縣托林寺貢康殿内。
圖中天女頭上卧一獸，左手托鉢，鉢中有供養物。

度母

公元14－15世紀
位于西藏札達縣托林寺内四塔西北塔。
圖中度母身佩瓔珞，配飾華麗。

度母

公元14-15世紀

位于西藏札達縣托林寺内四塔西北塔南壁。

圖中度母坐于蓮座上，袒上身，配飾華麗。

曼荼羅

公元14-15世紀

位于西藏昂仁縣日吾其金塔内壁。

此曼荼羅爲金剛界曼荼羅。

供養天女（上圖）

公元15世紀

位于西藏札達縣古格故城壇城殿西壁。

圖中諸天女形象大體相同，全身赤裸，四臂持法器或結手印，作舞蹈狀。

衆合地獄

公元15世紀

位于西藏札達縣古格故城壇城殿殿堂内壁第四層壁畫帶中。

地獄爲佛教六道中惡道之一，有八大地獄，其中之“衆合地獄”是野獸、刑具相配，施于罪人。

飛天

公元15世紀
位于西藏札達縣古格故城壇城殿西壁。
圖中飛天裸身，身上有飾物，雙手舉瓔珞。

供養寶物

公元15世紀

位于西藏札達縣古格故城依估洞東壁下部。

圖中從左至右依次繪裸體舞男、骷髏王、張懸的人皮、人腸、人骨珠等供養寶物。

供養天女

公元15世紀

位于西藏札達縣古格故城依估洞東壁下部北側。

圖中天女膚色各异，細腰聳乳，從左至右分別手執琴、鏡、果、綾、三角形器等。

密集不動金剛

公元15世紀

位于西藏札達縣古格故城大威德殿正殿南壁。

圖中主尊三面十臂，結跏趺坐于蓮臺，擁抱明妃。

大威德金剛

公元15世紀

位于西藏札達縣古格故城大威德殿正殿南壁。

大威德金剛是藏傳佛教的本尊，圖中金剛牛首，頭戴骷髏花冠，健壯有力，足下踏奔牛。

西方净土變

公元15世紀

位于西藏江孜縣白居寺吉祥多門塔第一層净土殿。

圖中繪佛座左側的菩薩、天王和佛座下的蓮池。

供養天女

公元15世紀

位于西藏江孜縣白居寺吉祥多門塔第一層燃燈佛殿。

圖中天女身旁有馬首天人和鳥首天人。

山中風景（上圖）

公元15世紀

位于西藏江孜縣白居寺吉祥多門塔第一層葉衣佛母殿。圖中繪山中小溪、樹木和奔鹿等。

黄色多聞天王

公元15世紀

位于西藏江孜縣白居寺吉祥多門塔第一層多聞天王殿。圖中天王坐于獅身上，手持傘。

作明佛母眷屬

公元15世紀

位于西藏江孜縣白居寺吉祥多門塔第二層作明佛母殿。

圖中形象鬈髪，手持紗帶，作跳躍狀。

獅子

公元15世紀

位于西藏江孜縣白居寺吉祥多門塔第二層作明佛母殿。

圖中獅子緑鬃，卧伏，回首張望。

十一面觀音

公元15世紀

位于西藏江孜縣白居寺吉祥多門塔第二層觀音菩薩殿。圖中觀音十一面，千手、手持蓮花和念珠等法器。

觀世音菩薩

公元15世紀

位于西藏江孜縣白居寺吉祥多門塔第三層寶生佛殿。

圖中觀音頭戴化佛冠，耳戴大耳璫，頸佩華麗飾品，手持曲莖蓮花。

降三世明王及其脅侍

公元15世紀

位于西藏江孜縣白居寺吉祥多門塔第三層寶生佛殿。圖中明王三面、六臂，手持鉢、斧和劍等法器，兩足踏惡鬼。明王周圍繪各種脅侍形象。

焰火金剛

公元15世紀

位于西藏江孜縣白居寺吉祥多門塔第三層焰火金剛殿。

圖中金剛皮膚黝黑，身後爲火焰狀背光。

菩薩（兩幅）

公元15世紀

位于西藏札達縣瑪那寺强巴殿。

圖中菩薩頭戴寶珠冠，肩繞帔帛，赤足立于蓮臺。

菩薩之一

菩薩之二

牛頭護法神

公元16世紀

位于西藏隆子縣色切寺經堂東壁。

圖中護法神頭戴骷髏冠，手執法器，脚踩一牛。

多聞天王

公元16世紀

位于西藏隆子縣色切寺經堂東壁。

圖中天王右手持傘，左手持鼠，身下騎白獅。題材和繪畫風格均受漢地文化影響。

白度母（上圖）

公元16世紀

位于西藏隆子縣色切寺經堂東壁。

圖中白度母坐于蓮臺之上，披帛執蓮。

金剛母多吉申巴

公元16世紀

位于西藏札達縣桑丹達吉林寺西壁。

圖中金剛母頭戴冠，雙手持金剛杵于胸前交叉。

修行聖者小像（上圖）

公元16世紀

位于西藏札達縣桑丹達吉林寺。

圖中衆修行聖者小像繪于主像的兩側，當中包括不同教派的高僧和聖者以及來自印度、尼泊爾、克什米爾的朝聖者。

衆佛小像

公元16世紀

位于西藏普蘭縣貢不日寺杜康大殿西壁。

圖中繪坐于華蓋之下的衆佛小像。

弟子

公元16世紀
位于西藏隆子縣白衮寺大殿南壁。
圖中弟子身穿紅色袈裟，爲西藏僧人形象。

菩薩

公元16世紀
位于西藏隆子縣白衮寺大殿南壁主尊佛下方。
圖中菩薩手持琵琶立于蓮臺之上。

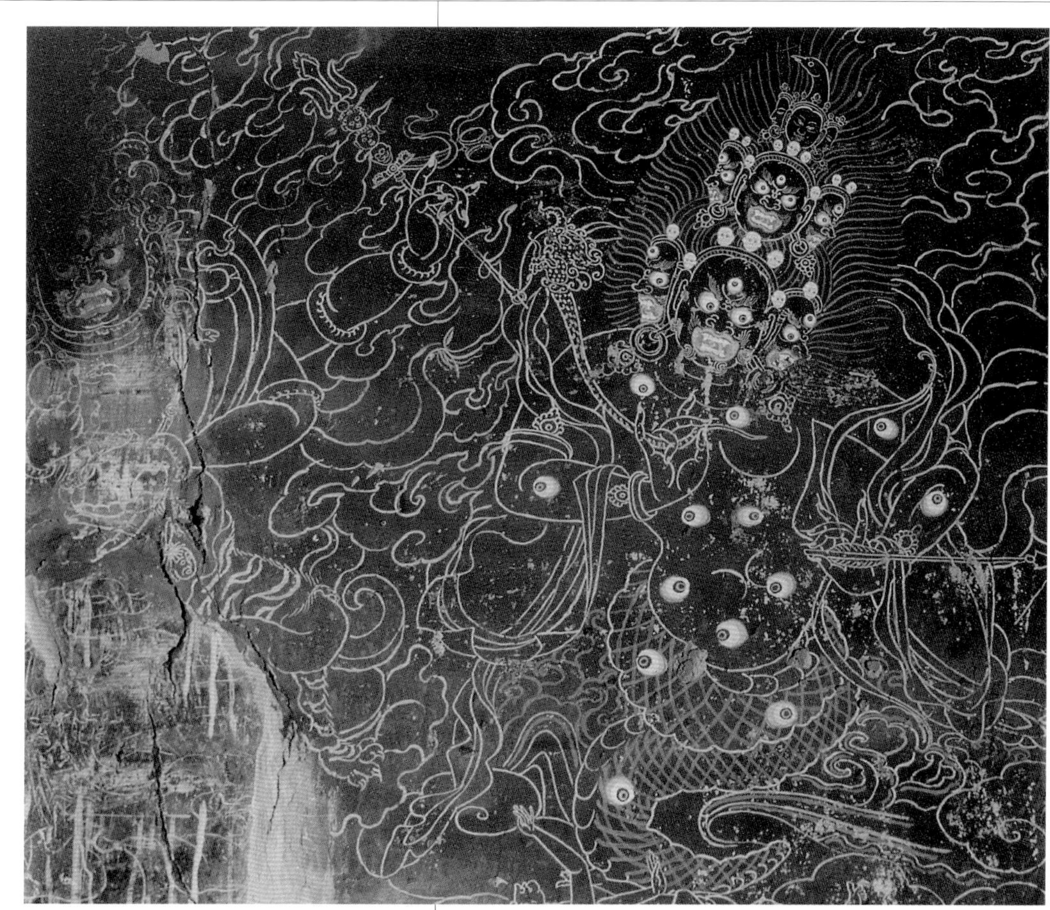

護法神

公元16世紀
位于西藏隆子縣強欽白嘎爾寺護法神殿内。
畫面以黑色爲底，先用黄綫勾勒輪廓，再用紅、白兩色點染五官、飾物等，綫如游絲。此技法在西藏佛教密宗護法神殿中常見。圖中護法神七面，上身爲人身，下爲蛇身。

度母

公元16世紀
位于西藏隆子縣強欽白嘎爾寺護法神殿内。
圖中度母半跏趺坐于獅子身上，手持法器。

觀世音菩薩

清

位于山西大同市善化寺大雄寶殿西壁南部。

高224、寬90厘米。

圖中菩薩頭戴化佛冠，右手持柳枝，左手拎净瓶。

善化寺大雄寶殿壁畫繪于康熙四十七年至康熙五十五年（公元1708－1716年）。

脅侍菩薩

清

位于甘肅張掖市大佛寺大佛殿扇面墻左側。

高200、寬97厘米。

圖中菩薩手持對稱繞枝牡丹。

開天立極

清

位于山西霍州市聖母廟聖母殿西壁中部。

高220、寬183厘米。

女媧聖母爲創世始祖，化生萬物，開天立極，是中國最早的女神之一。圖中聖母在整理頭冠，侍從服侍左右。聖母廟聖母殿建于乾隆二年（公元1737年）。殿内東、西、北三壁繪壁畫。

官貴迎駕

清

位于山西霍州市聖母廟聖母殿西壁。

圖中兩女官執笏迎聖母，兩樂伎于女官身後一擊鼓一吹嗩吶。

帝君朝賀

清

位于山西霍州市聖母廟聖母殿西壁。

圖中帝君頭戴通天冠，身着官服，足蹬雲頭履。

侍女

清

位于山西霍州市聖母廟聖母殿東壁。

高137、寬113厘米。

圖中侍女正忙于殿内陳設，手中分别捧盞、紗燈、佛手和卷軸等。

膳食侍女

清

位于山西霍州市聖母廟聖母殿北壁東次間。

圖中房中置案，案上有佛手等食物。三侍女分别捧饃、捧酒壺、擺盤，爲聖母準備膳食。

膳房侍女

清

位于山西霍州市聖母廟聖母殿北壁次間。

圖中侍女們正在準備飯肴。

誅文醜

清

位于山西太原市晋祠關帝殿東壁南部。

高143、寬102厘米。

畫面表現關羽斬下文醜首級的一瞬間，遠處曹操觀陣。

晋祠關帝殿壁畫繪于嘉慶四年（公元1799年）。

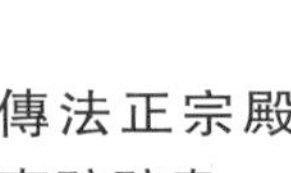

傳法正宗殿東壁壁畫

清

位于山西渾源縣永安寺傳法正宗殿東壁。永安寺傳法正宗殿東、西、南壁滿繪水陸畫。東壁上層繪天界諸神，中層繪天干、地支和星君等，下層繪人間各種人像。此圖爲局部。永安寺傳法正宗殿壁畫面積169.45平方米。

月孛星君

清

位于山西渾源縣永安寺傳法正宗殿東壁。

圖中月孛星君着帝王裝，手持笏板。

訶利帝母衆

清

位于山西渾源縣永安寺傳法正宗殿東壁。

訶利帝母即鬼子母。圖中訶利帝母戴鳳冠，懷抱小兒。

天龍八部衆

清

位于山西渾源縣永安寺傳法正宗殿東壁。

圖中衆神皆竪髮怒目，凶猛猙獰，鳥喙人身爲迦樓羅（金翅鳥）形象。

奎婁胃畢觜参星君

清

位于山西渾源縣永安寺傳法正宗殿東壁。

圖中繪二十八宿中的西方七宿，即奎木狼、婁金狗、胃土雉、昴日鷄、畢月烏、觜火猴和参水猿。星君皆着帝王裝，手持笏板，作朝奉狀。

諸天神地祇

清

位于山西渾源縣永安寺傳法正宗殿西壁。

畫面上部爲虚空藏菩薩和風、雨、雷、電等神祇，下部爲轉輪大王等地府諸官。

四直功曹

清

位于山西渾源縣永安寺傳法正宗殿南壁。

四直功曹爲執掌年、月、日、時的小神。圖中四功曹各持牌，爲小吏形象。

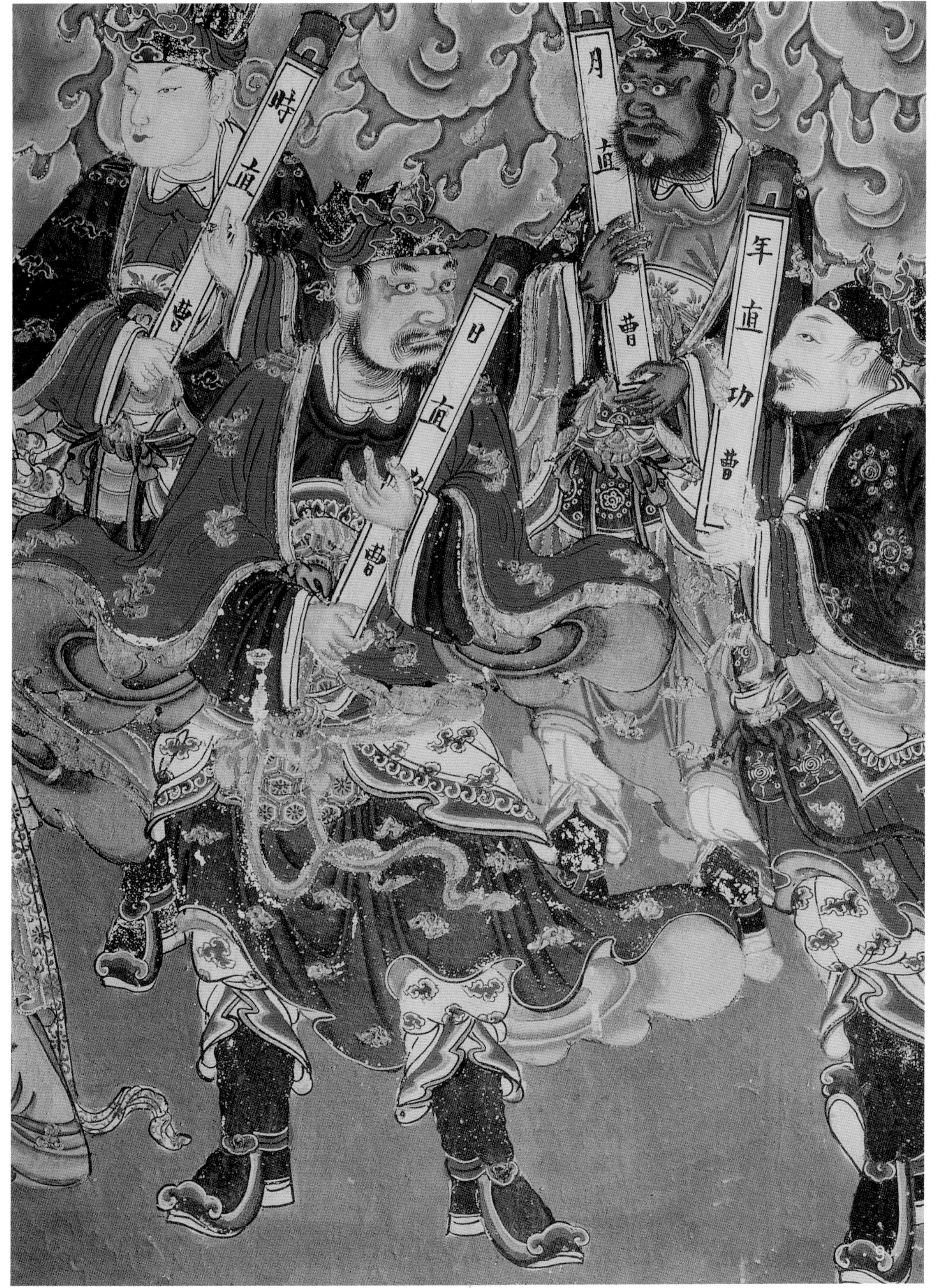

判官審案

清

位于山西河曲縣岱岳廟地藏殿東壁中部。

高128、寬85厘米。

殿内東西兩壁繪地府侍郎及州縣判官審理亡靈案七十六幅。此圖所示六幅俱由判官審理，牛頭馬面和司録文吏侍于兩側。

岱岳廟地藏殿壁畫繪于咸豐二年（公元1852年）。

岳飛事迹

清

位于山西河曲縣岱岳廟岳武殿東壁中部。

高170、寬136厘米。

此殿壁畫記述了岳飛成長和抗金的事迹。本圖所示故事情節有“習練兵法”、“名登金榜”、“岳父贈馬”、“拜見張老”、“瀌泉得戟”、“槍挑梁王”六則。

岱岳廟岳武殿壁畫繪于同治三年（公元1864年）。

聖母巡幸

清

位于山西河曲縣岱岳廟聖母殿東壁。

寬165厘米。

圖中兩位聖母娘娘乘龍行進，侍女持扇和華蓋侍候。

法嗣圖

清

位于山西大同市華嚴寺大雄寶殿西壁北次間。

高118、寬207厘米。

法嗣圖以連環畫的形式表現禪宗列祖相繼、法衣傳嗣的場景。本圖所示爲弘忍向神秀傳法之景。

華嚴寺大雄寶殿壁畫繪于光緒四年（公元1878年）。

善財童子五十三參

清

位于山西大同市華嚴寺大雄寶殿西壁北端。

高645、寬534厘米。

佛經講善財受文殊教化，南行參拜，遇五十三位名師，終逢普賢菩薩而成正果。畫面表現了這一過程。

千手千眼觀音菩薩

清

位于山西大同市華嚴寺大雄寶殿東壁。

高537、寬358厘米。

圖中觀音菩薩兩側繪吉祥天和婆藪天。

馬王（上圖）

清

位于山西繁峙縣岩山寺馬王殿東壁。

高155、寬278厘米。

馬王即房屋之神，圖繪馬王立髮垂髯，三目六臂。

十八學士

清

位于山東泰安市岱廟天貺殿北壁。

高124、寬225厘米。

此圖爲東岳大帝啓蹕圖的局部，描繪十八學士恭送東岳大帝出巡的情景。十八學士皆着文官服，執笏立于橋上。

東岳大帝啓蹕圖

清

位于山東泰安市岱廟天貺殿内壁。

岱廟天貺殿内壁壁畫分“啓蹕圖”和“回鑾圖”兩幅，描繪東岳大帝出巡場面。高330、總長6200厘米。此圖爲“啓蹕圖”的主體部分，圖中泰山之神坐于車中，其後文武大臣騎馬隨行。

東岳大帝回鑾圖

清

位于山東泰安市岱廟天貺殿内壁。

此圖爲“回鑾圖”隊伍的後部。

祝壽（上圖）

清

位于陜西韓城市文廟大成殿西壁。

圖中庭院内爲祝壽的場面。

西游記故事

清

位于陜西韓城市普照寺大殿東壁。

整個畫面由西游記中的多個故事組成。

江天亭立圖

太平天國

位于江蘇南京市太平天國壁畫藝術館。

高273、寬200厘米。

此圖描繪的是太平天國時期南京燕子磯的風光。江岸上一座高峰聳立，峰頂有草亭，江面上數隻帆船航行。

雲帶環山圖

太平天國

位于江蘇南京市太平天國壁畫藝術館。

圖中近處樹林叢生，遠處山峰挺立，山腰處建樓閣。

孔雀牡丹圖

太平天國

位于江蘇南京市太平天國壁畫藝術館。

高233.7、寬336.4厘米。

圖中太湖石上立一孔雀，昂首展翅，尾屏半開。石旁有牡丹數叢，孔雀身後有古松。

防江望樓圖

太平天國

位于江蘇南京市太平天國壁畫藝術館。

高277、寬201.8厘米。

圖中江邊聳立一座五層方形望樓，樓上平頂無蓋篷。江面上戰船游弋，運輸船揚帆行駛。

山中樵夫

太平天國

位于浙江金華市太平天國侍王府。

全圖高180、寬150厘米。

圖中繪山間樹下一樵夫爲另一樵夫挑腿上之刺。

捕魚圖

太平天國

位于浙江金華市太平天國侍王府。

全圖高150、寬180厘米。

江面上漁夫撑船下網，水邊童子持罾捕魚。

捕魚圖局部之一

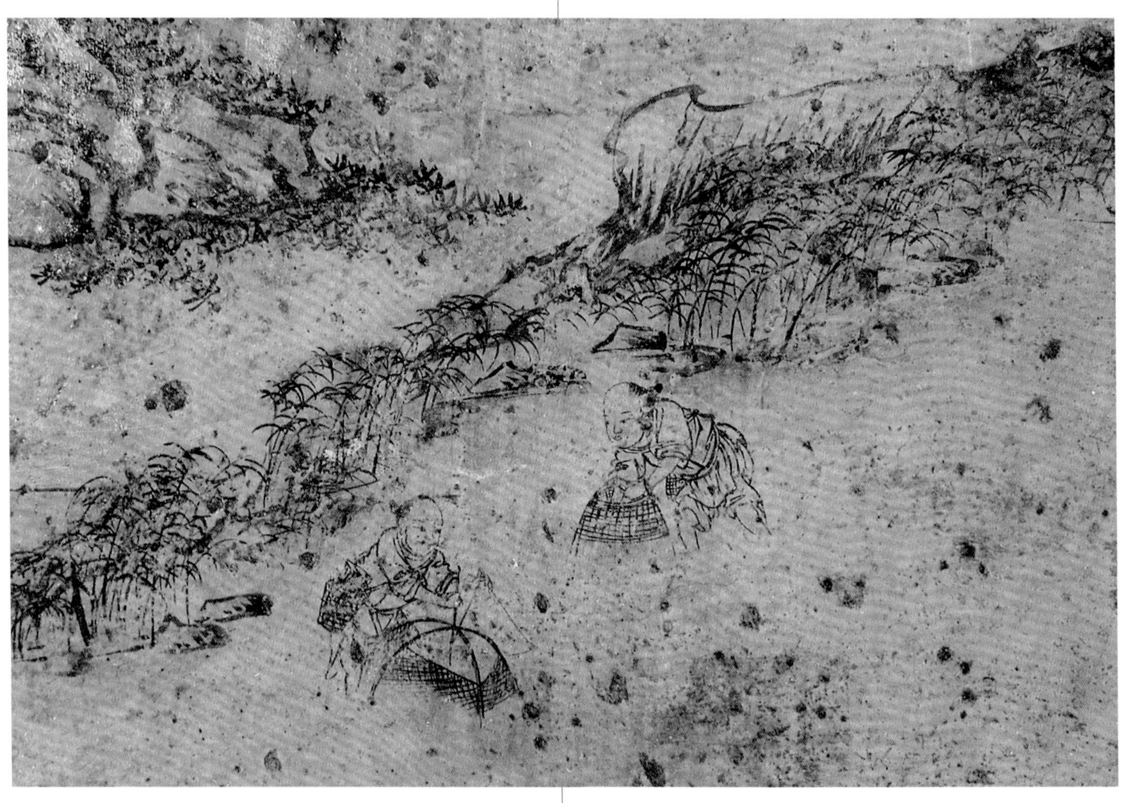

捕魚圖局部之二

三娘子禮佛

清

位于内蒙古土默特右旗美岱召大雄寶殿西壁下部。

三娘子禮佛生活圖全幅高300、寬1600厘米，此爲其中局部。坐者爲三娘子老年像，坐高120厘米。

三娘子是蒙古土默特部首領阿拉坦汗的三夫人，維係本部與明朝友好達四十年，功勛卓著。

文殊菩薩

清

位于内蒙古土默特右旗美岱召三佛殿二樓。

坐高170厘米。

圖中文殊菩薩右手持智慧之劍，眉間生有白毫。

宗喀巴像

清

位于西藏日喀則市扎什倫布寺正殿。

宗喀巴爲西藏佛教格魯派創立者。

喜金剛（下圖）

清

位于西藏薩迦縣薩迦南寺二樓。

圖中金剛八面十六臂，懷抱明妃。明妃一面二臂。兩者均單足而立，呈男女相交狀。

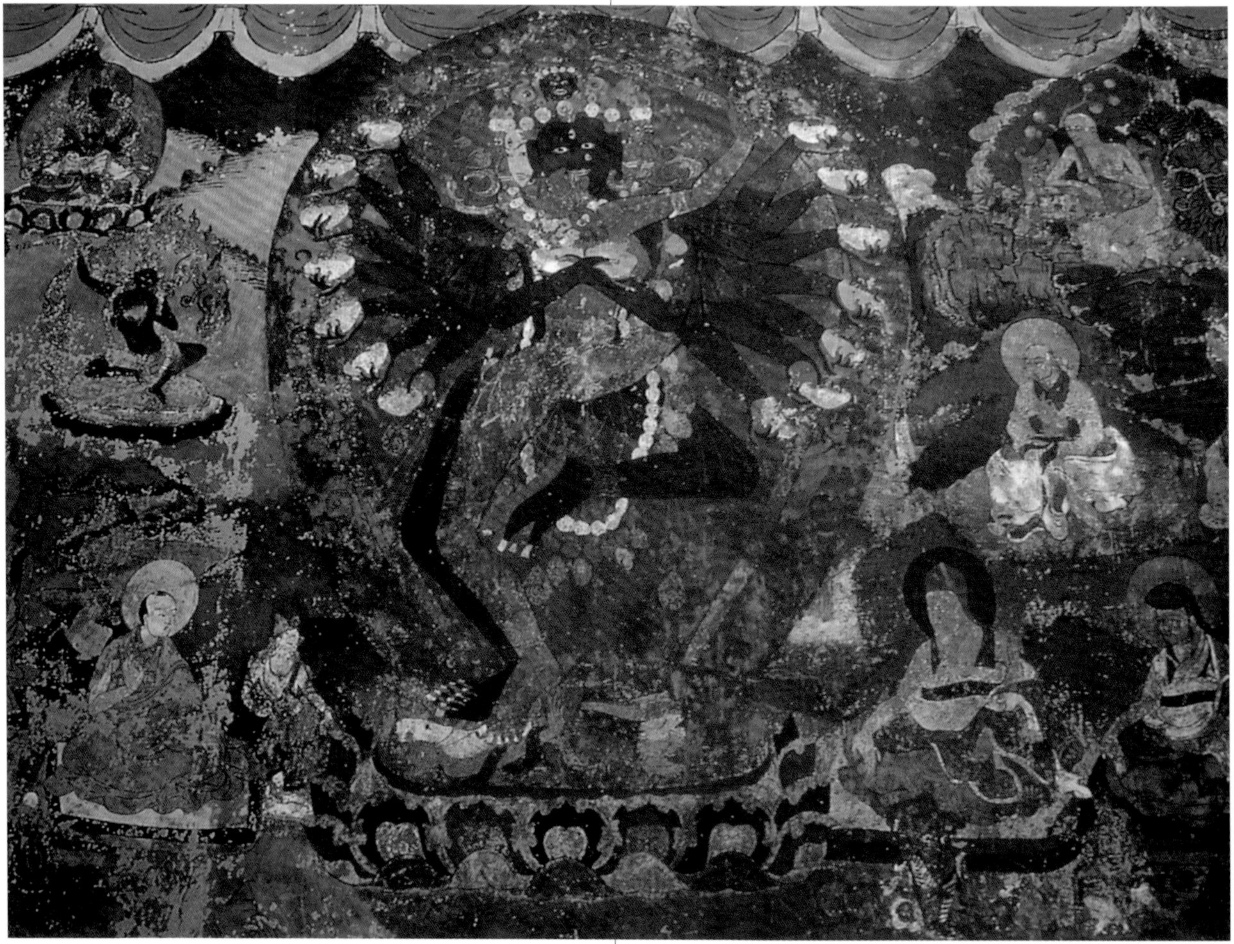

魔方（上圖）

清

位于西藏拉薩市色拉寺吉扎倉的門廊墻壁上。

魔方根據古印度詩歌《難詩之路》中的詩句繪製而成，是對智者的一種測驗。民間俗稱“魔方圖”，亦稱“聖潔圈”。

持國天王

清

位于西藏拉薩市布達拉宮白宮東門門廳西壁。

圖中天王懷抱琵琶彈奏。

龍女

清

位于西藏拉薩市布達拉宮白宮東門門廳東壁南側。圖中龍女爲佛籍所載天龍八部之一，人首蛇身。

金城公主入藏

清

位于西藏拉薩市布達拉宮白宮東有寂圓滿大殿東壁中部下隅。

畫面繪執鏡的金城公主拜于贊普赤德祖贊身前，贊普面露喜色，伸手欲扶的情景。

大昭寺落成圖

清

位于西藏拉薩市布達拉宮白宮東門門廳北壁。

圖中繪七世紀中期大昭寺建成後的情景。

圖中大昭寺高150、寬100厘米。

吐蕃所建布達拉宮

清

位于西藏拉薩市布達拉宮白宮東門門廳北壁中部。

圖中繪七世紀吐蕃王朝時期布達拉宮的基本形制，宮前繪臣民供奉松贊幹布。

香巴拉勝境曼荼羅

清

位于西藏拉薩市布達拉宮白宮東日光殿喜足光明天宮西壁。

圖中曼荼羅狀如八瓣蓮花，花瓣之間河水環繞，表現香巴拉佛經盛傳的理想世界。

一世達賴喇嘛

清

位于西藏拉薩市布達拉宫白宫東有寂圓滿大殿南壁。

圖中所繪爲一世達賴根敦珠巴（公元1391－1474年）。

尼瑪偉色

清

位于西藏拉薩市布達拉宫紅宫西有寂圓滿大殿南壁。

尼瑪偉色是西藏佛教寧瑪派的一代宗師。

五世達賴覲見順治帝

清

位于西藏拉薩市布達拉宮紅宮西有寂圓滿大殿東壁北側。

順治九年（公元1652年），五世達賴赴京，清順治帝隆重接待他及隨從官員。此圖繪兩人親切會面的情景。

紅宮落成慶典

清

位于西藏拉薩市布達拉宮紅宮第二層迴廊南壁西側。

高約150厘米。

康熙二十九年（公元1690年），攝政王第司·桑結嘉措主持修建了五世達賴喇嘛靈塔及靈塔殿，并據此擴成紅宮。康熙三十二年（公元1693年），紅宮落成并舉行隆重慶典。此圖爲慶典場面。

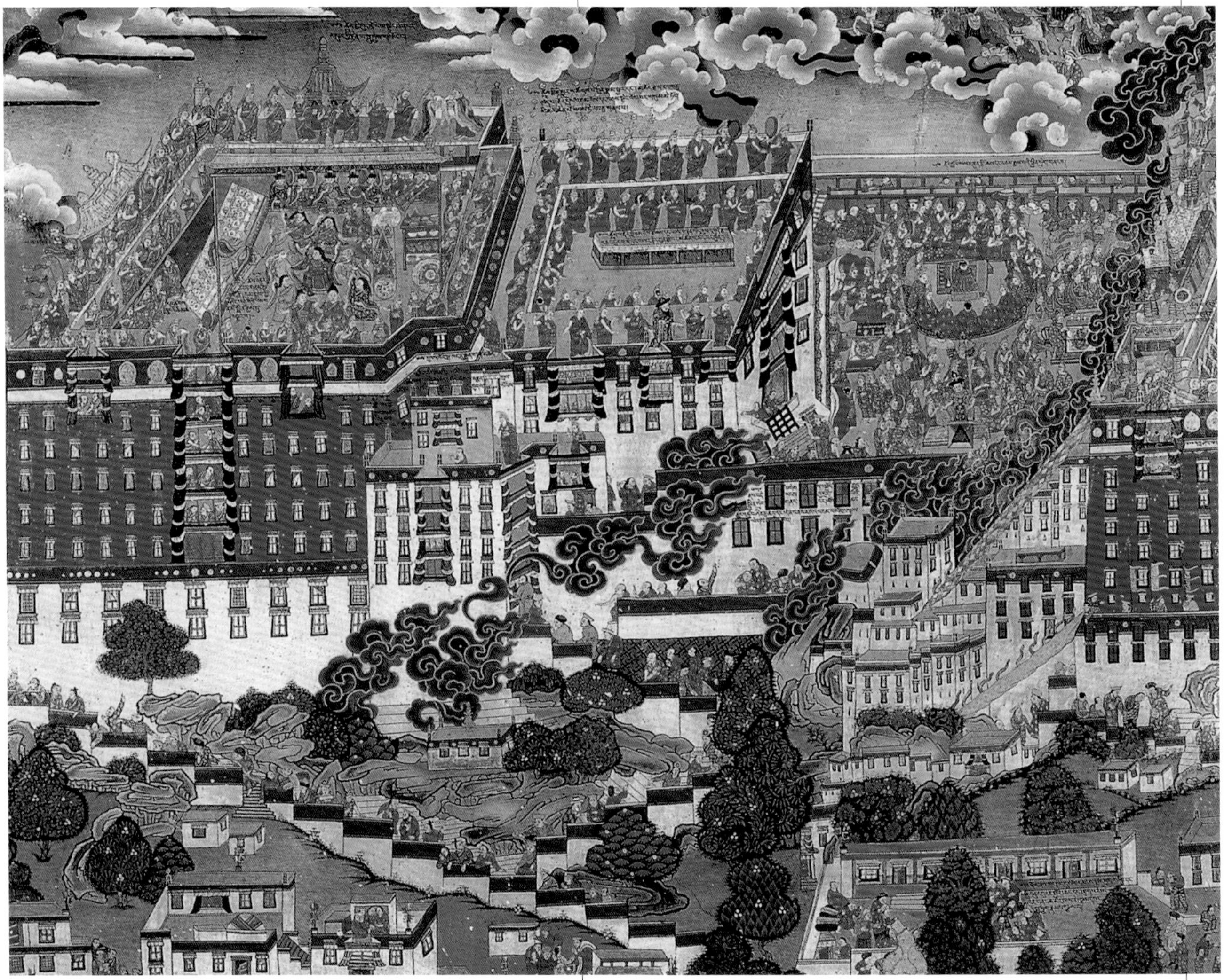

紅宮落成慶典

清

位于西藏拉薩市布達拉宮紅宮第二層迴廊南壁西側上隅。

圖中繪慶典上舉行體育比賽的情景，有賽馬、射箭、馬術、摔跤等項目，各冠軍得主均記于此壁畫下方。

度母

清

位于雲南香格里拉縣中心鎮藏經樓。

圖中度母頭戴寶冠，袒胸，身繞帔帛，坐于蓮座上，右手執法器，左手執曲莖蓮花。左下有一比丘供養。

增福慧度母

清

位于雲南香格里拉縣中心鎮藏經樓。

圖中度母有圓形頭光和身光。袒胸，身繞帔帛，右手執法器，左手執曲莖蓮花，坐于蓮座之上。

宗喀巴說法圖

清

位于雲南香格里拉縣中心鎮藏經樓。

圖中宗喀巴頭戴黄色尖帽，左手持梵策（經書），坐于寶座説法。

虎面佛母

清

位于雲南香格里拉縣中心鎮藏經樓。

圖中虎面佛母虎面人身，四臂四足，單足而立；穿虎皮裙，身繞帔巾，腰懸十餘個人頭。

宗喀巴說法圖

清

位于雲南德欽縣飛來寺。

圖中宗喀巴結跏趺坐，頭戴黄色尖帽，身披紅色袈裟，雙手作轉法輪印，手心處出蓮花，蓮花中有經書和劍。左右兩側各一聽法弟子，四周有護法和羅漢。

文殊菩薩

清

位于雲南德欽縣飛來寺。

圖中文殊頭戴天冠，梳高髻，右手舉劍，劍尖有火焰，左手捻曲莖蓮花，蓮花上有經書和火焰劍。

十一面千手觀音

清

位于雲南德欽縣飛來寺。

圖中菩薩赤足立于蓮臺上，八臂較大，手中分别持寶珠、念珠、法輪、蓮花和弓箭等，身後有六層放射狀手，表現千手。

騎羊護法

清

位于雲南德欽縣飛來寺。

圖中護法側向騎于一神羊上，頭戴竹笠，右手執錘，左手執虎皮風箱，是鐵匠的守護神。

六臂大黑天

清

位于雲南德欽縣飛來寺。

圖中大黑天身爲藍色，三目六臂，手持各種法器，頭戴骷髏冠，身挂骷髏瓔珞。畫面四角分别爲大威德、毗沙門、吉祥天女和白瑪哈噶拉。

增長天王

清

位于雲南德欽縣飛來寺。

圖中天王身穿獸頭鎧甲，右手持劍，坐于虎皮座上。

持國天王

清

位于雲南德欽縣飛來寺。

圖中天王頭戴盔，手彈琵琶，坐于豹皮座上。

八臂觀音佛母

清

位于雲南寧蒗彝族自治縣扎美戈寺。

圖中觀音三面八臂，戴天冠。周圍小像是觀音的各種化身。

化城圖

清

位于雲南滄源佤族自治縣廣允緬寺。緬寺爲南傳上座部佛教寺院，壁畫内容爲南傳上座部佛教故事和當地風俗民情等。本圖表現釋迦牟尼爲消除衆生在信仰道路上的畏難思想，化身城池讓衆生歇息。

極樂世界

清

位于雲南滄源佤族自治縣廣允緬寺。

圖中繪大地開滿鮮花，空中鳳鳥飛翔，水池中紅蓮開放。岸邊須彌臺旁有一棵神樹，人的靈魂順此樹可進入極樂世界。

舞女圖

清

位于雲南滄源佤族自治縣廣允緬寺。

圖中二舞女于庭院中起舞。後部高臺上有帝王賞舞。

佛傳故事

清

位于雲南勐海縣勐遮鎮曼宰龍緬寺大殿西墻檐下。

畫面從左到右表現悉達多太子在宮中受供養；夜半逾城出家；成道後初轉法輪，爲衆人説法。

黑象

清

位于雲南勐海縣勐遮鎮曼宰龍緬寺。

圖中黑象身馱寶塔，塔作二層。一人單足立于象頭。

百花女神

清

位于雲南勐海縣勐遮鎮曼宰龍緬寺。

圖中女神面目清秀，身材纖細，雙手持長枝花，花葉繁茂，象徵着春天生機盎然。

寶塔

清

位于雲南勐海縣勐遮鎮曼宰龍緬寺。圖中爲樓閣式塔，塔旁兩匹負傘馱袱白馬，上部爲持花供養者。

佛祖

清

位于雲南勐海縣勐遮鎮曼宰龍緬寺。圖中央佛祖坐于高臺上，兩旁爲對稱的百花女神。

年　表

（紅色字體爲本卷涉及時代）

新石器時代（公元前8000年—公元前2000年）

仰韶文化（公元前5000年—公元前3000年）

夏（公元前21世紀－公元前16世紀）

商（公元前16世紀－公元前11世紀）

西周（公元前11世紀－公元前771年）

春秋（公元前770年－公元前476年）

戰國（公元前475年－公元前221年）

秦（公元前221年—公元前207年）

漢（公元前206年－公元220年）

三國（公元220年－公元265年）

西晋（公元265年－公元316年）

十六國（公元304年－公元439年）

東晋（公元317年－公元420年）

北朝（公元386年－公元581年）

南朝（公元420年－公元589年）

隋（公元581年－公元618年）

唐（公元618年—公元907年）

五代十國（公元907年—公元960年）

遼（公元916年—公元1125年）

宋（公元960年—公元1279年）

北宋（公元960年—公元1127年）

南宋（公元1127年－公元1279年）

西夏（公元1038年—公元1227年）

金（公元1115年—公元1234年）

元（公元1271年—公元1368年）

明（公元1368年—公元1644年）

清（公元1644年—公元1911年）